CW00409612

THÉRÈSE PHILOSOPHE

THÉRÈSE PHILOSOPHE

ou

Mémoires pour servir
à l'histoire du Père Dirrag
et de Mademoiselle Éradice

Présentation, notes, chronologie et bibliographie
par
Florence LOTTERIE

GF Flammarion

À la mémoire de Véronique Goetsch-Lauglaney

© Éditions Flammarion, Paris, 2007
ISBN : 978-2-0807-1254-7

PRÉSENTATION

La nature en criant ne réclame rien d'autre
Sinon que la douleur soit éloignée du corps,
Que l'esprit jouisse de sensations heureuses,
Délivré des soucis et de crainte affranchi.

Lucrèce, *De la nature*, chant II

La Nature nous a tous créés uniquement pour être
heureux ; oui tous, depuis le ver qui rampe jusqu'à
l'aigle qui se perd dans la nue.

Julien Offroy de La Mettrie,
L'Homme-machine (1747)

Ah ! que la nature est un grand maître !

Diderot, *Les Bijoux indiscrets* (1748)

Autour de 1870, Charles Monselet, connaisseur averti du « second rayon » du XVIIIe siècle, lance un prétendu inédit libertin : daté de 1787 et attribué à Sade, *La Courtisane anaphrodite ou la Pucelle libertine*, annoncé comme publié à « Avignon », haut lieu de l'édition clandestine au temps des Lumières, est un bel exemple de supercherie littéraire. Le tome IV des *Œuvres anonymes du XVIIIᵉ siècle*, dans la collection fameuse de « L'Enfer de la Bibliothèque nationale », le propose à ce titre. Mais curieusement, il ne dit mot du contenu, pourtant aisément reconnaissable, de ce texte postiche : car il s'agit, à l'exception des phrases qui le raccordaient originellement à l'ensemble du roman et de quelques détails mineurs, d'un démar-

quage du récit de la Bois-Laurier inséré au milieu de
Thérèse philosophe. On mesure par là l'impact à longue
portée de ce dernier, qui traverse ainsi plus d'un siècle
de mémoire clandestine et se présente toujours, à
l'aube de la IIIe République, comme un modèle à
saisir...

À la recherche d'un auteur perdu

Bien des facteurs ont concouru à donner une sorte
d'aura de légende à ce roman, à commencer par ses
aventures éditoriales. *Thérèse philosophe* est un classique
de l'édition clandestine d'*erotica* du XVIIIe siècle, sinon *le*
classique. Ses complices en littérature interdite n'ont
d'ailleurs pas manqué de lui rendre hommage. Le
témoignage qu'on cite le plus souvent est celui de
Sade, notamment parce qu'il a beaucoup fait pour
l'attribution du texte à Boyer d'Argens. Dans l'*Histoire
de Juliette*, l'héroïne éponyme, visitant la bibliothèque
secrète du carme Claude, y découvre en effet l'« ouvrage charmant du marquis d'Argens », qu'elle distingue avec soin non seulement d'autres classiques pornographiques bien connus des lecteurs du temps, mais
encore de « ces misérables petites brochures, faites dans
des cafés, ou dans des bordels, et qui prouvent à la fois
deux vides dans leurs mesquins auteurs, celui de
l'esprit et celui de l'estomac [1] ». Cette distinction aristocratique entre une sorte de caste supérieure de la littérature audacieuse et la plèbe constituée de ce que
Robert Darnton a appelé la « bohème littéraire », si elle
relève bien d'une réalité du champ littéraire où pullulè-
rent rapidement, dans le sillage des grands succès édi-
toriaux, des « pauvres diables » contraints à une poly-
graphie souvent médiocre, marque aussi un mépris
typiquement sadien. Michel Delon suggère d'y voir une
sorte de stratégie de reprise, où l'écrivain s'assure sym-

---

1. Sade, *Œuvres*, III, éd. M. Delon, avec la coll. de J. Deprun,
Gallimard, « Bibliothèque de la Pléiade », 1998, p. 591.

boliquement une position « haute » dans la littérature en
rendant hommage à un compagnon socialement et
culturellement proche : le marquis d'Argens, fils d'un
procureur au parlement d'Aix, issu comme lui de la
bonne noblesse provençale, mais aussi noble déclassé
par une vie passablement débauchée, peut apparaître
comme un pair idéal[1]. Pour autant, est-il vraiment res-
ponsable de *Thérèse philosophe* ? Le livre ne porte pas de
nom d'auteur, et n'a jamais été avoué par le principal
intéressé. Rapportant, dans ses *Mémoires*, une visite
faite en 1769 au marquis, qui lui offre à cette occasion
des exemplaires de ses œuvres, Casanova ne mentionne
pas ce roman, et ce n'est sûrement pas par pudeur.
Qu'en penser ?

L'histoire éditoriale de *Thérèse philosophe* relève à
cet égard du cas d'école pour bibliophile opiniâtre.
Les éditeurs modernes du texte, de Pascal Pia et
Jacques Duprilot à Pierre Saint-Amand et François
Moureau, ont tous souligné le caractère embrouillé
et rocambolesque des circonstances qui présidèrent
à la parution et à la traque policière de l'ouvrage,
dont on n'est pas même certain qu'il n'ait pas cir-
culé sous forme manuscrite avant 1748[2]. Il n'est
donc pas utile de revenir en détail sur ce qui a déjà
été développé par d'autres et qu'on tâchera ici de
résumer.

L'affaire est d'abord intéressante en ce qu'elle
montre bien comment peuvent se recouper, autour du

---

1. Michel Delon, « De *Thérèse philosophe* à *La Philosophie dans le
boudoir*, la place de la philosophie », *Romanistische Zeitschrift für Litteraturgeschichte*, 1-2, 1983.

2. L'hypothèse est avancée par Michel Delon, art. cité. Raymond
Trousson note pour sa part que les ouvrages cités par Thérèse à la
fin du roman comme appartenant à la bibliothèque du comte datent
au plus tard de 1747 (préface aux *Romans libertins du XVIIIᵉ siècle*,
Laffont, « Bouquins », 1993, p. 562). On peut se demander, à cet
égard, pourquoi Pascal Pia suggère que le roman constituait sans
doute non un inédit, mais « un article de librairie devenu rare » (préface à *Thérèse philosophe*, J.-C. Lattès, « Les Classiques interdits »,
1979, p. 15). Il s'appuie seulement sur le fait que le roman paraît
alors que l'affaire Cadière-Girard est vieille de dix-sept ans.

livre interdit, des univers sociaux et des intérêts dont la collusion semblera souvent surprenante au lecteur contemporain. Au cœur de ce feuilleton éditorial, on trouve un aventurier déclassé et escroc à ses heures, lié aux milieux de la librairie clandestine, Xavier d'Arles de Montigny ; tout peu recommandable qu'il est, il bénéficie de hautes protections, en particulier celle du prince de Conti. L'individu se retrouve ainsi en 1745 commissaire des Guerres dans l'armée du Rhin – il paraît qu'il y fait merveille – et envoyé l'année suivante comme espion à Liège où il a pour charge de débusquer les agents autrichiens (le contexte est celui de la guerre de Succession d'Autriche). Lui vient alors l'idée lucrative de fournir l'armée en livres licencieux. Ces derniers ne peuvent évidemment pas espérer se voir attribuer le « privilège » donnant autorisation de publication dans le royaume, ni même la « permission tacite ». Le Code de la Librairie de 1723 avait soumis à l'interdit les ouvrages censés menacer le triple ordre de la religion, de l'État et du roi, des mœurs, à quoi s'ajoutaient les ouvrages susceptibles de s'en prendre directement ou non à la « réputation » des personnes : le pouvoir a d'ailleurs toujours mis beaucoup d'énergie à poursuivre ces innombrables libelles ou pamphlets injurieux, comme le rappelle l'enquête de Barbara de Negroni [1]. Quoi qu'il en soit, la définition des « mauvais livres » concerne directement un livre tel que *Thérèse philosophe*, d'autant que la répression des ouvrages « licencieux » ou « lascifs » se durcit autour de 1741 – date de publication du *Portier des Chartreux*, autre classique érotique du siècle –, et qu'en 1748 un autre ouvrage de la même veine, *Margot la ravaudeuse*, dû à Fougeret de Monbron, se trouve aussi poursuivi.

Montigny, qui va financer – grâce à quel soutien ? – l'opération, se lie avec un libraire liégeois qui recrute des protes à Paris. Il s'agit de refaire une édition du *Portier des Chartreux* et d'y joindre un inédit, *Thérèse*

---

1. *Lectures interdites : le travail des censeurs au XVIIIᵉ siècle : 1723-1774*, Albin Michel, 1995.

philosophe, dont Montigny assure posséder le manuscrit de la main de l'auteur. Pour François Moureau, il y aurait donc eu une première édition « liégeoise », sans gravures, avant que le traité d'Aix-la-Chapelle, mettant fin à la guerre et, partant, à la présence française sur place, supprime de fait le « marché » sur lequel comptait Montigny et incite le libraire à rapatrier son fonds à Paris, afin de commercialiser – toujours clandestinement – le livre sur place. Montigny, soucieux du manque à gagner, ne l'entend évidemment pas de cette oreille : il prend contact de son côté avec des ouvriers imprimeurs revenus de Liège et lance une édition parisienne, avec gravures. Mais l'entreprise, comme souvent, est noyautée par des indicateurs de police et découverte en novembre 1748[1]. Entre 800 et 900 exemplaires d'une édition qui, selon le chiffre avancé par François Moureau, en comporte 1 400, sont saisis en décembre. Montigny est embastillé en février de l'année suivante ; libéré pour raisons de santé en 1750, il livrera en outre les planches des illustrations et 140 exemplaires. Le coup de filet ne sera bien sûr pas suffisant : en 1755 encore, l'inspecteur de la librairie d'Hemery signale au lieutenant de police l'arrestation d'un colporteur possédant *Thérèse philosophe* et en conclut logiquement que des exemplaires ont survécu à la purge de 1748. De fait, l'ouvrage se débite continûment sur le siècle, constituant, selon l'enquête de Robert Darnton, la meilleure vente du livre pornographique au XVIIIe siècle[2].

On a donc affaire à un *best-seller,* mais dont l'auteur reste mystérieux. François Moureau remarque à juste

---

1. Bonin et La Marche, entre 1747 et 1755, furent, en même temps qu'indicateurs de police, ouvriers d'élite d'une imprimerie clandestine très active, d'où sortit aussi, si l'on en croit Miguel Benitez, la première édition du *Telliamed* de Benoit de Maillet cette même année 1748 (*La Face cachée des Lumières. Recherches sur les manuscrits philosophiques clandestins de l'âge classique,* Oxford, Voltaire Foundation, 1996, p. 208).

2. Robert Darnton, *Édition et sédition. L'univers de la littérature clandestine au XVIIIe,* Gallimard, 1991, p. 180.

titre qu'on ne l'a pas cherché avec beaucoup d'empressement, tant il est vrai que la répression policière s'abat
alors essentiellement sur les contrevenants de la chaîne
technique, en ce qu'ils menacent le « privilège », le
monopole du corps de métier des libraires officielle-
ment autorisés, mais aussi que les auteurs peuvent être
protégés en haut lieu – c'est déjà le cas, on l'a vu, avec
des intermédiaires comme Montigny – ou appartenir
eux-mêmes à des milieux choisis où il n'est guère politique d'aller exercer sa curiosité. Ainsi Montigny, que
son infortune rendait bavard, avait écrit directement au
lieutenant de police pour le mettre, disait-il, sur la piste,
sans obtenir la réaction escomptée.

À partir de là, les hypothèses commencent. Elles
ont aussi occupé les contemporains : le roman fut
notamment attribué à Diderot, expédié peu après à
Vincennes pour des textes auxquels *Thérèse philosophe*
peut effectivement faire parfois songer, les *Pensées philosophiques* et la *Lettre sur les aveugles*, sans parler des
délicieux *Bijoux indiscrets*[1]. Ce n'était guère suffisant.
Montigny, régulièrement évoqué, n'apparaît pas non
plus comme un candidat très sérieux, mais François
Moureau suggère une autre piste, qu'il laisse d'ailleurs
ouverte faute de sources plus précises pour la
confirmer : celle de La Serre, espion autrichien pendu
à Maastricht en avril 1748 – nous ne sommes pas loin
de Liège –, et qui avait avoué non seulement avoir
composé des ouvrages licencieux, mais être l'auteur
de manuscrits non encore publiés et de la même eau.
Thérèse philosophe en faisait-il partie ? Mystère. On
sait simplement que La Serre, personnage bien connu
des spécialistes de l'histoire du livre clandestin, avait
contribué activement en 1745 à une réédition d'un
manuscrit hétérodoxe célèbre, l'*Examen de la religion*,

1, Ainsi, en juillet 1749, le *Journal historique et anecdotique du
règne de Louis XV* de Barbier associe l'enfermement de Diderot à
Vincennes au fait qu'on lui reprocherait *Thérèse philosophe*. Le jugement est cependant en décalage chronologique, comme on voit,
avec les faits.

dont les thèses irrévérencieuses traversent partielle-
ment *Thérèse philosophe*, comme on le verra plus loin [1],
accompagné d'une « suite » qui a aussi paru très
proche de certains développements dissertatifs du
roman. Mais il n'est pas certain que La Serre soit
l'auteur de l'*Examen* [2], et la « suite », comme l'indique
François Moureau, est écrite dans un esprit finalement assez différent des développements du roman
qui peuvent lui être comparés.

Pourquoi donc, sinon parce que Sade l'a écrit – l'a
voulu ou rêvé ? –, choisir Boyer d'Argens ? Le plus
décidé partisan de cette attribution, Guillaume
Pigeard de Gurbert, ouvre la présentation de son édition du texte en ces termes : « On reconnaîtrait Boyer
d'Argens à la première lecture de *Thérèse philosophe*.
[...] Sade sait à quoi s'en tenir lorsqu'il a en main ce
roman à la fois érotique et philosophique [3]. » Mais ce
qu'il cite à l'appui, ce n'est pas un fait attesté de lecture, c'est une représentation littéraire qui peut avoir
sa part de mythe reconstruit, à savoir le fameux passage de l'*Histoire de Juliette* dont il a été question au
début de cette présentation. Plus convaincant est le
minutieux travail de critique interne auquel ce spécialiste de Boyer d'Argens se livre ensuite, mettant en
évidence des démarquages troublants, quasi littéraux,
des *Mémoires* de Boyer (1735) à *Thérèse philosophe* [4].
Les Mémoires mettent d'ailleurs en scène un épicurien
peu porté sur la religion, ce que fut à n'en pas douter

---

1. On sait que d'Argens en possédait un exemplaire dans sa
bibliothèque, car il le mentionne dans ses *Mémoires*.
2. L'hypothèse est néanmoins retenue par Michel Delon dans son
édition des *Œuvres* de Sade et par un certain nombre de spécialistes
des manuscrits clandestins. Le texte peut se trouver sous le titre
Doutes sur la religion. On l'attribue aussi à Bonaventure de Four-
croy, ou encore à Dumarsais, mais cela ne fait pas l'unanimité.
3. « Thérèse, ou la face cachée du philosophe », dans Boyer
d'Argens, *Thérèse philosophe*, Actes Sud, « Babel », 1992, p. 151.
4. *Ibid.*, p. 154. Pour d'autres comparaisons avec des œuvres différentes de Boyer d'Argens, voir aussi la présentation de Pierre
Saint-Amand dans *Romanciers libertins du XVIIIᵉ siècle*, I, éd. P. Wald
Lasowki, Gallimard, « Bibliothèque de la Pléiade », 2000.

l'auteur de la *Philosophie du bon sens*, d'ailleurs mis au ban de sa propre famille en 1734[1]. Les éditeurs de *Thérèse* ont toujours souligné le fait que le père de Boyer d'Argens était procureur général au parlement d'Aix au moment du procès Cadière-Girard qui défraya la chronique en 1731 et dont le roman s'inspire en partie, mais l'idée selon laquelle il aurait ainsi eu un accès privilégié aux pièces du dossier reste douteuse. Certes, d'Argens s'est beaucoup intéressé à l'affaire et y revient dans plusieurs de ses œuvres. Elle donne son sous-titre à *Thérèse philosophe* sous une forme anagrammatisée que les contemporains purent aisément décoder : « Éradice » pour Cadière, « Dirrag » pour Girard, etc. Cependant, force est de reconnaître qu'elle n'y est pas exploitée avec beaucoup de précision. Catherine Cadière, née à Toulon (« Volnot » dans le texte), accusait le père jésuite Girard de l'avoir dûment séduite sous couvert de direction. La jeune femme (elle avait dix-huit ans) était alors passée sous l'influence d'un janséniste, le père Nicolas, qu'on retrouve dans le roman sous les traits du jeune prêtre qui tombe amoureux d'Éradice et l'arrache au père Dirrag, son premier confesseur. Girard fut acquitté de justesse – il risquait tout de même le bûcher – mais perdu de réputation, et retourna bientôt dans sa ville natale, Dole (« Lôde » dans le roman).

Boyer d'Argens s'étend longuement sur cette aventure judiciaire, qu'il présente comme déterminante pour son propre destin, dans le livre IV de ses *Mémoires*. Il souligne le rôle de son père et les pressions que celui-ci subit alors, en raison de la dimension politique de l'affaire. L'agressivité anticléricale est manifeste à l'égard de Girard, mais d'Argens s'en prend aussi à la dévotion outrée de celle qu'il n'appelle que

---

1. La culture philosophique de Boyer d'Argens est celle du « libertinage érudit », dont on verra plus loin l'influence sur le roman. Il truffe notamment ses textes d'extraits de Pierre Bayle ou de La Mothe le Vayer. Grand spécialiste des manuscrits clandestins, Antony MacKenna s'est ainsi demandé s'il ne convenait pas de lui attribuer *De la conduite qu'un honnête homme doit garder pendant sa vie*, où l'on trouve un long extrait de l'*Examen de la religion*.

« La Cadière », et observe avec le dédain du « philosophe » les excès fanatiques des partis en présence et de
la foule elle-même, pour conclure : « Les plus grands
crimes n'ont eu que le prétexte de la religion[1]. » La
chose l'a incontestablement passionné. Pourtant, le
choix de faire référence, en 1748, à une affaire aussi
ancienne peut sembler peu pertinent pour appâter le
lecteur ; et même si l'on doit supposer qu'elle est restée
mémorable, d'autres romanciers que d'Argens auraient
pu avoir le goût de s'en saisir. Ajoutons que les paral-
lèles indéniables entre les *Mémoires* et *Thérèse* peuvent
être le fait d'un auteur malicieux, qui aurait cherché à
porter le soupçon sur d'Argens, ou d'un auteur pressé,
tel qu'il n'en manquait guère dans l'univers des *erotica*
et auquel les *Mémoires* auraient alors tout simplement
fourni sans effort une information et un ton adaptés au
propos de l'ouvrage. En tout état de cause, nous en
sommes réduits à des hypothèses : le dossier de police
lié à *Thérèse philosophe,* comme le rappellent Pascal Pia
et Jacques Duprilot, faisait partie des archives de la
Bastille et a été largement démembré par les émeutiers
du 14 juillet... Révolution oblige ? Nous n'en saurons
sans doute pas davantage.

L'anonymat du texte doit plutôt nous intéresser par
ce qu'il révèle du souci de prudence : le roman érotique, en effet, apparaît ici comme une de ces « voies
obliques de la propagande philosophique » naguère
étudiées par Roland Mortier[2]. Son titre fonctionne
comme un signal d'appartenance à un courant intellectuel. *Thérèse philosophe,* construit sur une alternance

---

1. Boyer d'Argens, *Mémoires de Monsieur le marquis d'Argens,*
éd. Y. Coirault, Desjonquères, 1993, p. 130.
2. Roland Mortier, « Les voies obliques de la propagande "philosophique" », réédité dans *Le Cœur et la raison : recueil d'études sur le
XVIIIᵉ siècle,* préface de René Pomeau, Oxford, Voltaire Foundation/
Bruxelles, Éditions de l'université de Bruxelles, 1990, p. 414-424.
« C'est dans *Thérèse philosophe,* écrit l'auteur, dont le titre militant à
valeur programmatique, que la part faite à l'élément idéologique
atteint la plus haute proportion, au point d'annoncer parfois le ton et
l'étendue des dissertations dont nous gratifieront les personnages de
Sade (et tout particulièrement Dolmancé) » (p. 418).

de scènes et de dissertations – principe dont se souviendra Sade dans *La Philosophie dans le boudoir*
(1795) –, permet notamment de retrouver, selon une
technique de recyclage très caractéristique des textes
de l'hétérodoxie philosophique à l'âge classique, toute
une culture clandestine de manuscrits dont les thèses
audacieuses sont la face souterraine et inavouable (en
son temps) des Lumières. La satire anticléricale, qui
passe par la représentation pornographique, choisit le
prétexte de l'affaire Cadière, qui lui permet de revenir
sur de brûlantes questions religieuses et morales.

L'héritage du « libertinage » philosophique et la culture des Lumières

Thérèse philosophe entreprend donc la refonte d'un
fait divers déjà lointain. Le roman comporte ainsi une
part d'« histoire secrète » : il est censé révéler les crous-
tillants dessous sexuels d'une affaire très publique.
Écrivant pour le « Comte », ce « bienfaiteur » qui l'a finalement arrachée à un destin de prostitution après la
mort de sa mère et avec lequel on apprendra finalement
qu'elle vit sans être mariée, dans la double condition de
disciple (ce comte est un mentor philosophique) et de
maîtresse, Thérèse, la narratrice, fait de sa propre vie
un récit orienté par la découverte progressive de son
corps et de ses désirs : née provençale, elle passe son
enfance et sa première jeunesse à «Volnot», où elle
devient zélée pénitente du père Dirrag, en compagnie
de la jeune Éradice, son amie, mais aussi sa rivale en
recherche de sainteté ; elle surprend entre cette fille,
plus aveuglée, suggère la narration, par la vanité que
par une authentique dévotion, et son confesseur une
scène lubrique, où un viol s'accomplit sous couvert
d'oraison mystique. Thérèse, que sa mère entend arracher à l'emprise du jésuite, découvre heureusement en
Madame C…, jeune veuve qui fait partie des notabilités
de la ville, et l'abbé T…, son confesseur et amant
secret, des protecteurs éclairés et bienveillants, qui, tout

en évitant de rendre public le scandale qu'elle leur révèle, font – parfois à leur insu, dans les scènes érotiques où elle les surprend – son éducation.

Pour comprendre pourquoi, en 1748, le roman choisit un cadre historique datant de 1731, peut-être faut-il en revenir précisément au contexte. « La Cadière », qui semble bien avoir été une illuminée aspirant à la sainteté, se présentait, du point de vue de la polémique anticléricale, comme un modèle de délire religieux susceptible d'être tourné en ridicule. En insistant sur le rôle du jeune prêtre janséniste auprès d'Éradice, tandis que Dirrag est jésuite, *Thérèse philosophe* ne fait que transférer, sur le mode de la satire anticléricale grivoise, aux codes du roman licencieux une réalité sociale et politique qui reste d'actualité en 1748[1]. Madame C… et l'abbé T…, dans leur souci de prendre toutes les précautions de discrétion qui s'imposent pour arracher Thérèse à son confesseur, témoignent de ce que l'enjeu est aussi social et politique : on touche à des affaires de camps, à une querelle politique[2] où il importe de ne pas trop se dévoiler.

Le procès de 1731 se tient, en effet, au plus fort d'une crise majeure. En 1730, la bulle *Unigenitus* devient une loi d'État par déclaration royale. C'est dans la foulée que commence le mouvement « convulsionnaire ». Le 6 novembre 1730, une certaine Anne Le Franc, paralytique qui s'est rendue au

---

1. Il faut noter que la lubricité de Dirrag n'appartient pas aux motifs dominants de la satire antijésuites, qui se nourrit surtout de la dénonciation de l'influence politique de la Compagnie et de l'intrusion indiscrète dans les familles, par avidité, des directeurs de conscience – thème que l'on trouve déjà dans *Les Caractères* de La Bruyère et, bien sûr, dans le *Tartuffe* de Molière, auquel Dirrag va d'ailleurs être malicieusement comparé. « Les accusations contre les mœurs demeurent rares, voire exceptionnelles, en dépit de quelques rappels discrets des débordements du père Girard et de la Cadière », note Monique Cottret (*Jansénismes et Lumières. Pour un autre XVIIIe siècle*, Albin Michel, 1998, p. 124).

2. La bulle *Unigenitus*, qui s'en prend ouvertement au jansénisme, ravive une longue querelle entre jansénistes et jésuites, dont l'enjeu est une lutte d'influence auprès des autorités politiques.

cimetière Saint-Médard, haut lieu de dévotion populaire autour de la tombe du diacre Pâris, lequel était
réputé favoriser les miracles, est déclarée guérie. Fait
remarquable, elle va rédiger une relation de sa gué-
rison, qu'elle dépose chez le notaire le 6 mars 1731.
Son récit est publié dans la *Dissertation sur les miracles*
de Charles Robert Berthier, janséniste chargé de la
librairie clandestine. Cette provocation déclenche la
colère de l'archevêque de Paris, lequel fait défense de
rendre quelque culte que ce soit au diacre Pâris et
demande le témoignage de médecins qui concluent à
une « affection hystérique fort commune[1] ». Autour
de ce cas, le parti janséniste organise toute une bataille
juridique dont l'enjeu politique est sans nul doute de
rendre sa visibilité à un camp alors minoritaire. Le
résultat ne se fait pas attendre : Saint-Médard est
envahi par la foule à partir de l'été 1731, et les scènes
de convulsions mystiques s'y multiplient, tandis que
prolifèrent les guérisons miraculeuses. Le cimetière
sera fermé le 27 janvier 1732, mais l'effervescence
n'est pas jugulée pour autant, les actes de dévotion se
retranchant dans l'église attenante, où affluent encore
les pèlerins de Pâris autour de 1750[2].

Ces révolutions physiologiques – on crie, on pleure,
on transpire et on tremble d'abondance – se veulent
des manifestations de la toute-puissance divine. Elles
s'intègrent, à ce titre, dans l'argumentaire théologico-
politique du jansénisme, qui entend prouver par là
qu'il constitue la religion vraiment élue. Mais tous les
camps sont concernés par cette affaire. Le cas de
Catherine Cadière, dont il s'agissait aussi, à travers la
publicité du procès, de « récupérer » l'intense dévotion, illustre à sa façon cet enjeu central d'une querelle
qui déchire le royaume. Il révèle également un climat

---

1. Cité par Catherine Maire, *De la cause de Dieu à la cause de la
Nation. Le Jansénisme au XVIIIᵉ siècle*, Gallimard, 1998, p. 255.

2. Sur cette actualité, on notera qu'un autre roman du temps, *La
Tourière des Carmélites*, de Meusnier de Querlon (1745), fait encore
référence aux « convulsionnaires » et aux conflits entre « molinistes »
(jésuites) et « jansénistes ».

général de mysticisme populaire, soutenu par une spectacularisation des corps « habités » qui va exercer sur les hommes des Lumières une horreur fascinée et leur fournir une arme de choix pour dénoncer les excès du fanatisme et de l'enthousiasme religieux, voire, chez certains d'entre eux, affirmer un discours matérialiste. *Thérèse philosophe* paraît à un moment où cet aspect du militantisme éclairé est déjà très présent et la forme du roman érotique semble singulièrement apte à rendre compte, sur un mode satirique, du délire de ces corps mystiques…

Si Diderot a pu être proposé comme un candidat sérieux à la paternité du roman, c'est, comme on l'a dit, en raison de la parenté qui existe entre les thèses qui y sont développées et les ouvrages pour lesquels il est expédié à Vincennes. Diderot avait reconnu les *Pensées philosophiques* ; or, dans ce texte de 1746, le souvenir des « convulsionnaires » et la discussion afférente sur les miracles sont récurrents. « Un faubourg retentit d'acclamations : la cendre d'un prédestiné y fait, en un jour, plus de prodiges que Jésus-Christ n'en fit en toute sa vie. On y court ; on s'y porte ; j'y suis la foule. J'arrive à peine, que j'entends crier : miracle ! J'approche, je regarde, et je vois un petit boiteux qui se promène à l'aide de trois ou quatre personnes charitables qui le soutiennent ; et le peuple qui s'en émerveille, de répéter : miracle ! miracle ! Où donc est le miracle, peuple imbécile ? Ne vois-tu pas que ce fourbe n'a fait que changer de béquilles[1] ? » En 1763 encore, Voltaire se référera avec mépris à « la populace convulsionnaire », même si ce sera pour dire – y croit-il d'ailleurs ? – qu'il s'agit là d'un fanatisme d'un autre temps et sur lequel on peut se contenter désormais de faire tomber l'arme du ridicule[2].

---

1. Diderot, *Œuvres philosophiques*, éd. P. Vernière, Bordas, 1990, p. 42-43. Notons que Diderot habitait le quartier des « convulsionnaires ».

2. Voltaire, *Traité sur la tolérance*, éd. R. Pomeau, GF-Flammarion, 1989, p. 56.

L'agacement du philosophe à l'égard de la crédulité populaire, très caractéristique des Lumières, illustre leur ambivalence quant à la manière dont elles pensent les conditions de possibilité d'une éducation générale à la liberté conçue comme affranchissement à l'égard des « préjugés » et de la « superstition », ces deux bêtes noires de la philosophie. L'*Histoire des oracles* de Fontenelle, la réflexion voltairienne insistent sur la tendance de l'esprit humain à s'accommoder de « fables ». L'histoire des hommes menace de n'être que celle de leurs sottises et de leurs absurdités, au milieu desquelles surnagent de rares esprits libres. Cette ambivalence se retrouve dans l'élitisme intellectuel de *Thérèse philosophe*. Si le roman-mémoires s'inscrit bien dans un schéma de cheminement pédagogique mettant en présence maîtres et élèves, selon ce qui peut constituer un archétype narratif de la fiction libertine [1], il s'ouvre sur une apostrophe aux « imbéciles mortels » et sur une déclaration de mépris à l'égard des « sots » dont l'abbé T... se fera l'écho auprès de Madame C... : « Mais gardons-nous bien de révéler aux sots des vérités qu'ils ne sentiraient pas, ou desquelles ils abuseraient. Elles ne doivent être connues que des gens qui savent penser », affirme-t-il. L'entreprise d'éclairement philosophique se heurte sans cesse à cette restriction pédagogique venue de la tradition libertine du XVIIᵉ siècle [2]. On en retrouve la trace dans le texte fameux de Dumarsais, *Le Philosophe*, paru en 1743 [3] dans un contexte éditorial

---

1. Voir Pierre Hartmann, « Nature, exemple, éducation : les paradigmes du récit libertin », dans *Du genre libertin au XVIIIᵉ siècle*, éd. J.-F. Perrin et Ph. Stewart, Desjonquères, 2004.

2. Pour une analyse détaillée de ce « paradoxe » des Lumières, voir l'étude de Roland Mortier, « Ésotérisme et Lumières. Un dilemme de la pensée du XVIIIᵉ siècle », dans *Clartés et ombres du siècle des Lumières*, Genève, Droz, 1969, p. 60-103. La distinction du champ public et du champ privé de la pensée chez l'abbé fait songer, entre autres influences, à la « double doctrine » de John Toland.

3. *Thérèse philosophe* porte aussi la marque de ce texte, tellement fondateur d'un « mythe » des Lumières qu'il sera repris – expurgé de ses passages trop explicitement matérialistes et athées – par Diderot dans l'article « Philosophe » de l'*Encyclopédie*.

d'ailleurs particulier, puisqu'il fait partie d'un recueil intitulé *Nouvelles Libertés de penser*, où se trouve aussi le *Traité de la liberté* de Fontenelle, dont la substance passe à l'évidence dans la philosophie du roman. Fontenelle y conclut notamment que « la vérité que nous venons de découvrir est dangereuse pour ceux qui ont de mauvaises inclinations[1] ». On peut aussi rapprocher le propos de l'abbé de *L'Homme-machine* de La Mettrie, qui s'ouvre ainsi : « Il ne suffit pas à un sage d'étudier la Nature et la Vérité, il doit oser la dire en faveur du petit nombre de ceux qui veulent et peuvent penser ; car pour les autres, qui sont volontairement esclaves des préjugés, il ne leur est pas plus possible d'atteindre la Vérité qu'aux grenouilles de voler[2]. » La référence méprisante aux « sots » est un lieu commun de l'élitisme du libertinage philosophique. Dans le grand poème de Lucrèce, *De la nature*, référence antique de l'épicurisme et du libertinage de pensée à l'âge classique, on trouve dès le chant I une allusion méprisante aux « imbéciles » (*stolidi*) qui sont prêts à admirer sans examen les prestiges d'un langage obscur[3] ; puis, au chant III, aux « sots » qui se font un enfer sur la terre en raison de leurs craintes religieuses[4]. De même, dès le début de *La Philosophie dans le boudoir*, on lira que « le monde est peuplé de plats imbéciles[5] ». Le philosophe de Fontenelle affirme de même à la marquise qu'il enseigne : « Contentons-nous d'être une petite troupe choisie […] et ne divulguons pas nos mystères dans le peuple[6]. »

Thérèse philosophe n'est pas seulement, de ce point de vue, un ouvrage clandestin en ce qu'il subit les

---

1. *Nouvelles Libertés de penser*, Noxia, 2000 [1743], p. 88.
2. La Mettrie, *L'Homme-machine*, éd. P.-L. Assoun, Gallimard, « Folio », 1999 [1981], p. 143. Il y reviendra avec vigueur dans le « Discours préliminaire » à ses *Œuvres philosophiques* parues en 1751.
3. Lucrèce, *De la nature*, éd. et trad. J. Kany-Turpin, GF-Flammarion, 1997, p. 86.
4. « *Hic Acherusia fit stultorum denique vita* », *ibid.*, p. 236.
5. Sade, *Œuvres*, III, *op. cit.*, p. 7.
6. Fontenelle, *Entretiens sur la pluralité des mondes*, éd. Ch. Martin, GF-Flammarion, 1998, p. 160.

foudres de la censure : il l'est aussi par sa façon de faire passer, dans l'entrelacs de la fiction et du discours philosophique, tout un *corpus* de livres eux-mêmes interdits, mais aussi ces textes souterrains, manuscrits qui circulent sous le manteau depuis le siècle précédent et appartiennent à un libertinage philosophique qu'on ne confondra pas avec le libertinage « de mœurs » : car le « libertin », étymologiquement (*libertinus*), c'est l'esclave affranchi, et plus tard, dans le contexte polémique des guerres de Religion et de leurs suites, celui dont la pensée s'écarte des dogmes, de la *doxa* en matière de religion, au nom de la liberté individuelle d'examen critique et raisonné des preuves de la foi. Il est donc d'abord, en un sens péjoratif, l'« impie », ou encore le libre-penseur qui réclame en faveur de la conscience individuelle examinatrice, bien avant d'être le « débauché » ou le « roué » des romans du libertinage mondain (Crébillon, Laclos). Mais c'est précisément aussi pourquoi il répugne à la publicité de son propre discours. La discrétion dont l'abbé et Madame C… se font une règle illustre la fameuse devise : *Foris ut mores, intus ut libet*[1].

Illustrations exemplaires de la crédulité des esprits faibles, le goût des miracles et les dérèglements physiques liés à la manie mystique sont mis au service d'un discours militant sur l'imposture religieuse. La longue diatribe de l'abbé T… sur l'institution des religions, dont l'acte de naissance se confond avec le scandale d'une usurpation d'autorité au nom de la « révélation », reprend toute une série d'arguments devenus classiques dans la littérature irréligieuse. Il serait ainsi facile de les retrouver, pour la plupart, dans les fameux *Quatrains du déiste*, poème anonyme qui circulait déjà au début du XVIIᵉ siècle et dont le père Garasse se servit précisément pour confondre les « libertins » lors du procès de Théophile de Viau (1624). On peut sans doute souligner également

---

1. « Au dehors, agis selon les mœurs, et à l'intérieur, selon ta volonté. »

l'influence du célèbre *Traité des trois imposteurs*, qui
circule depuis longtemps ; mais ce classique de la
clandestinité, qui insiste beaucoup sur le scandale de
ceux qui cherchent à tromper le peuple, inspire visiblement moins la pensée élitaire de l'abbé que
l'*Examen de la religion ou Doutes sur la religion dont on
cherche l'éclaircissement de bonne foi*, qu'on a déjà eu
l'occasion d'évoquer. Le titre même renvoie à l'héritage de Pierre Bayle et en particulier à l'argument des
droits de la « conscience errante », tel qu'il s'expose
dans le *Commentaire philosophique sur ces paroles de
Jésus-Christ : « Contrains-les d'entrer »* (1686) : la conscience ne dépendant que d'elle-même, et ne pouvant
par conséquent se soumettre par force à l'autorité
dogmatique, lorsqu'elle adopte ce qui lui paraît *de
bonne foi* être la vérité, elle ne peut être coupable,
lors même qu'elle conclurait, sur les matières religieuses, à l'insuffisance des preuves de l'existence de
Dieu. La morale ne se trouve donc pas dans le respect des dogmes, qui sont extérieurs à la juridiction
de cette « lumière naturelle » de la conscience ; un
athée qui croit devoir être un athée, sur le témoignage
de cette « lumière » que d'ailleurs un croyant véritable ne saurait, sans contradiction, rapporter à autre
chose qu'à un don de la divinité, cet athée, donc, n'est
pas immoral en soi, et ne doit pas être jugé autrement
qu'un catholique ou un protestant. Cette laïcisation
des fondements de la morale oriente la question que
pose le premier chapitre de l'*Examen de la religion* :
« La religion nous promet un bonheur éternel et nous
menace d'un malheur sans fin, selon la différente
conduite que nous aurons gardée pendant notre vie,
conduite qu'elle nous prescrit : pouvons-nous nous
étourdir jusqu'au point de ne pas examiner qui fait ces
promesses et ces menaces, et quels en sont les
fondements [1] ? » Les héros de *Thérèse philosophe* en

---

1. *Examen de la religion ou Doutes sur la religion dont on cherche
l'éclaircissement de bonne foi*, éd. G. Mori, Oxford, Voltaire Foundation, 1998, p. 143.

appellent à leur tour à ces droits de la conscience : Thérèse a d'abord « cherché de bonne foi » à se conduire d'après les « principes » d'une religion sévère, appuyée sur la crainte du châtiment ; c'est encore « de bonne foi » qu'elle s'efforce de respecter les interdits sexuels commandés par son confesseur, parce que c'est « de bonne foi » qu'elle aime Dieu ; elle accorde à Éradice qu'elle a dans un premier temps cédé « de bonne foi » à Dirrag.

Telle est, en effet, la garantie d'une recherche vraiment morale de l'individu quant à la conduite qu'il doit tenir et aux principes qu'il doit admettre en matière de religion. Il appartient à l'abbé T... de reformuler sur le terrain propre de l'investigation philosophique l'argument venu de Bayle, en le mettant au service de la valeur de tolérance : « Si un Chrétien de bonne foi ne veut pas examiner sa religion, pourquoi voudra-t-il (ainsi qu'il l'exige) qu'un Mahométan de bonne foi examine la sienne ? » L'abbé présente d'ailleurs son système à Madame C... comme entièrement fondé sur ce principe : « C'est le fruit de vingt années de travail, de veilles et de méditations, pendant lesquelles j'ai cherché de bonne foi à distinguer la vérité du mensonge. » L'argument est à longue portée, car il peut permettre de justifier jusqu'à l'athéisme. On lit ainsi dans les *Pensées philosophiques* : « On doit exiger de moi que je cherche la vérité, mais non que je la trouve. [...] Je suis nécessité de consentir au faux que je prends pour le vrai, et de rejeter le vrai que je prends pour le faux : mais, qu'ai-je à craindre, si c'est innocemment que je me trompe ? L'on n'est point récompensé dans l'autre monde pour avoir eu de l'esprit dans celui-ci : y sera-t-on puni pour en avoir manqué[1] ? » Par conséquent, si je cherche honnêtement la vérité sur l'existence de Dieu, mais que mon esprit ne m'en fournit pas de preuves jugées satisfaisantes par ma raison, je suis un athée – je me trompe, suggère prudemment Diderot – mais je ne suis pas

_____

1. Diderot, *Œuvres philosophiques, op. cit.*, p. 27.

condamnable. Bayle n'avait-il pas déjà montré qu'il peut exister des athées vertueux ?

Les philosophes des Lumières sont fort peu nombreux à assumer la position athée et, dans les rares cas où elle est la leur, jamais en public (comme l'illustre le cas de Diderot). L'abbé T..., expressément désigné comme « philosophe », incarne assez bien ce double jeu, dans son souci sans cesse réitéré de distinguer entre ce qui se pense dans le cercle choisi et ce qu'il est possible de livrer à la société. Il s'en tient à une affirmation de type déiste, où Dieu est assimilé à un *primum motum* d'où découle le mouvement général de l'univers et, partant, un ordre qu'il est impossible de considérer comme mauvais, sauf à décréditer la volonté divine elle-même ; mais sa façon de renverser les termes – Dieu n'est pas une chimère tout extérieure que les hommes se sont construit à leur image et à laquelle ils rendent un culte dans leurs temples ou leurs églises, c'est le principe rationnel qui enveloppe tout, jusqu'aux actions des hommes qu'on ne doit plus considérer que comme des modalités de l'Être suprême – est sous l'influence d'une vulgate spinoziste qui passe dans le libertinage philosophique des grands textes clandestins dont s'imprègne le roman. On la retrouve sous la plume du Diderot des *Pensées philosophiques* : « Insensés que vous êtes ; détruisez ces enceintes qui rétrécissent vos idées ; *élargissez Dieu* ; voyez-le partout où il est, *ou dites qu'il n'est point* [1]. » Telle est bien, en effet, l'alternative. Ce Dieu partout disséminé se confond, dans le discours de l'abbé T..., avec la « Nature », mot proclamé « vide de sens » précisément parce qu'il ne dit rien de plus que ce déisme dans lequel un déterminisme strict, en investissant jusqu'aux conduites morales d'un individu uniquement régi par un « tempérament » qui doit lui-même tout à l'organisation générale de l'univers physique, tend dangereusement à l'expression proprement matérialiste : après tout, quel besoin les thèses de

---

1. *Ibid.*, p. 26. Nous soulignons.

l'abbé ont-elles encore de la figure de Dieu ? N'est-ce pas une précaution oratoire, un mécanisme d'auto-censure textuelle, qui laisse deviner le *Deus sive Natura* spinoziste et l'influence du *Traité des trois imposteurs*, qu'on a du reste parfois attribué à Spinoza lui-même[1] ? On est d'autant plus fondé à le croire que les leçons du comte, qui « étendent » pour Thérèse celles de l'abbé, remplacent Dieu par la « matière » et ses lois[2] ; et Thérèse elle-même avoue, après avoir entendu l'abbé, qu'elle voit « clairement » que Dieu et la Nature sont « la même chose »… La dénégation sur la faculté de la « liberté », qui court dans tout le roman, est d'ailleurs caractéristique du matérialisme. Il est vrai que la conclusion fait revenir avec force l'autorité divine, qui sert alors de garantie à un dis-cours sur le respect des hiérarchies où s'affirme un vrai conservatisme social. Mais cette parole s'adresse désormais au « public » : elle illustre l'idée, ailleurs énoncée, que la religion et son lot de croyances sont une nécessité institutionnelle dans la mesure où elles contiennent la masse des esprits dans une salutaire crainte du châtiment et un vertueux souci des récom-penses. L'abbé le dit nettement à Madame C… : les religions, qui sont par ailleurs dénoncées en tant qu'instruments des ténèbres, retiennent ainsi « un grand nombre d'hommes dans leurs devoirs ».

---

1. C'est de ce Dieu, dont chaque chose dans la nature ne serait qu'une modification, que ce texte se réclame pour afficher le dis-cours de l'ordre et de sa nécessité, tel qu'on le retrouve dans le roman : « Pour fermer la bouche à tous ceux qui demandent pour-quoi Dieu n'a point créé tous les hommes bons et heureux, il suffit de dire que tout est nécessairement ce qu'il est, et que dans la nature il n'y a rien d'imparfait puisque tout découle de la nécessité des choses » (*Traité des trois imposteurs*, éd. P. Rétat, Saint-Étienne, Uni-versités de la région Rhône-Alpes, 1973, p. 23).

2. Ce matérialisme est, notons-le en passant, nettement plus audacieux que le sont les positions déistes en général affichées par Boyer d'Argens. Mais peut-on en tirer une conclusion ? Ou bien il n'est pas l'auteur d'un texte qui dépasse sa pensée, ou bien il s'est servi du truchement du roman clandestin pour y inscrire ce qui n'était pas avouable. Diderot en fit tout autant.

C'est là une position assez largement partagée dans la pensée « éclairée » du siècle et qui vient tout droit du « libertinisme » du siècle précédent. Mais de cette prudence, de ce « deux poids deux mesures », on aurait tort de conclure à une franche hypocrisie. *Thérèse philosophe*, dans son ambiguïté, ne fait qu'illustrer ce qu'il faut bien appeler le pessimisme historique des Lumières, qui croient aux progrès de l'esprit humain et l'appellent de leurs vœux tout en constatant les résistances de la plupart des hommes à leur propre libération. Ainsi de Voltaire en 1763 : « Telle est la faiblesse du genre humain, et telle est sa perversité, qu'il vaut mieux sans doute pour lui d'être subjugué par toutes les superstitions possibles, pourvu qu'elles ne soient point meurtrières, que de vivre sans religion. L'homme a toujours eu besoin d'un frein […] il était bien plus raisonnable et plus utile d'adorer ces images fantastiques de la Divinité que de se livrer à l'athéisme[1]. » Chez Voltaire, qui ne l'est certes pas, l'athée est un homme dangereux ; mais on voit ici qu'il l'est surtout quand il n'est pas *philosophe* : être sans Dieu, c'est-à-dire sans notion transcendante du bien et du mal, est un fléau pour l'ordre public dès lors qu'on a affaire à des esprits faibles, gouvernés par leurs passions, pour qui cet absentement du divin ne serait perçu que comme une autorisation de faire ce que bon leur semble, jusqu'au crime même. Comme l'écrira encore Voltaire en 1769 dans son *Épître à l'auteur du Traité des trois imposteurs*, l'idée de Dieu, de ses châtiments, de ses récompenses, est peut-être « le frein du scélérat, l'espérance du juste ». *Thérèse philosophe* est traversé de cette inquiétude, dont Sade fera au contraire un levier de la triomphale volonté de puissance de ses libertins. Il est vrai que ceux-ci croisent sans difficulté « libertinage d'esprit » et « libertinage de mœurs », l'un nourrissant l'autre et réciproquement…

---

1. Voltaire, *Traité sur la tolérance, op. cit.*, p. 129.

D'une honnête immoralité

Thérèse philosophe a récemment pris place dans des anthologies – celle de Raymond Trousson et celle qu'a dirigée Patrick Wald Lasowski pour la Pléiade[1] – qui le désignent comme « roman libertin ». Mais il faut souligner sa réticence fondamentale devant le « libertinage de mœurs », celui du débauché ou, pire, du « roué » dont l'objet essentiel est la perte ou la corruption de son élève. Ainsi, dans le roman, il ne fait pas bon s'intituler « libertin » : le mot, c'est le moins qu'on puisse dire, n'y a pas bonne presse. La réticence frappe tout particulièrement dans le récit inséré, où la Bois-Laurier, courtisane à la retraite que Thérèse rencontre lorsque, montée à Paris avec sa mère, elle s'y retrouve orpheline et dépourvue de tout, dévoile à l'héroïne les turpitudes de sa vie passée.

« J'ai été une libertine de profession et je suis encore pucelle », déclare d'emblée la Bois-Laurier. L'ouverture de ce récit secondaire déploie l'énigme de la courtisane sur le mode de la contradiction. Lorsque Thérèse rapporte, au début du roman, ses jeux enfantins avec les garçonnets de son âge, elle propose la formule oxymorique de « libertinage innocent ». S'il s'agit de se définir soi-même, à la première personne, dans un récit rétrospectif, la distance désapprobatrice de la narratrice désormais rangée, ou du moins assagie, se marque, dans les deux cas, par une figure qui cherche à désamorcer la part du « libertin » en lui associant l'idée adverse de pureté virginale. Les quatre autres occurrences du terme et de ses dérivés dans le roman l'inscrivent dans un contexte qui le connotent péjorativement. Toutes liées à l'évocation du milieu de la prostitution mondaine dans lequel gravitent la Bois-Laurier puis, sous sa houlette, Thérèse, elles font du libertin celui qui manifeste la corruption des mœurs : c'est la Bois-Laurier mise au service de « l'inconti-

---

1. *Romans libertins du XVIIIᵉ siècle, op. cit.*, et *Romanciers libertins du XVIIIᵉ siècle, op. cit.*

nence du public libertin », ou telle baronne d'opérette dévouée « aux plaisirs de la jeunesse libertine ». Mais c'est aussi la « nuit libertine » que les deux femmes passent ensemble, seul épisode saphique – à une seconde et tout aussi rapide référence près – d'un roman pourtant situé dans un genre qui n'en est pas avare, mais qui se contente ici d'une allusion : nous sommes dans le passage obligé d'une topique, rien de plus.

Si le roman peut être classé dans un possible genre littéraire du « libertinage », si même il faut entendre par là qu'une place non négligeable est accordée à une pédagogie libératrice du corps qui emprunte à une tra-dition philosophique « libertine », cela ne veut donc pas dire que la fiction prend en charge jusqu'au bout la part de la posture *hétérodoxe* : le « libertin », cet affranchi, s'écarte avec tant de modération de la norme qu'il n'entend pas assumer l'appellation dans le cours de la diégèse. On aurait ainsi pu imaginer que la mise en scène de l'homosexualité constituât une pièce maîtresse du discours sexuel du texte : ne pouvait-elle s'offrir comme solution intermédiaire entre le « manuélisme » de la « petite oie » et le *coïtus interruptus*, dans une taxi-nomie des pratiques explicitement orientées par le refus de la procréation [1] ? Mais c'eût été la naturaliser, alors que sa place dans l'économie narrative la reconduit au contraire au catalogue de perversions que constitue explicitement le récit inséré de la courtisane, récit dont l'objet est bien de faire le tableau « de ces goûts de fantaisie, de ces complaisances bizarres » exigés des hommes, « par prédilection ou par certain défaut de conformation ». Il faut que Thérèse soit entrée dans l'univers trouble de la Bois-Laurier, peuplé de tout le personnel classique de la satire de mœurs (des moines

---

1. Pour sa part, Anne Richardot considère que l'expérience avec la Bois-Laurier « fait le pont entre l'onanisme de la couventine et l'hétérosexualité philosophique de la concubine » (« Les charmes de l'impénétrable », *Eighteenth Century Life*, 21 [2], 1997, p. 90). C'est tout de même un pont vite franchi et dont la motivation narrative semble bien plutôt relever de la *mise à l'écart* axiologique.

débauchés aux financiers véreux), pour accepter de se
livrer à ces « folies » ! Elle déclare d'ailleurs elle-
même : « Il *fallut* coucher avec elle : on hurle avec les
loups. » Quel enthousiasme ! Nous sommes loin de la
revendication des héroïnes sadiennes, qui vivent le les-
bianisme comme partie prenante d'une entreprise
philosophique de déracinement des « préjugés » passant par l'intensification systématique de tous les
écarts sexuels. Pour Thérèse, en revanche, l'expérience est liée à l'emprise d'un univers *contaminé* par
la débauche : en sortir, c'est nécessairement rencontrer le comte, qui va rétablir les justes droits d'une
sage hétérosexualité, d'ailleurs on ne peut plus fidèle,
à moins d'extrapoler sur ce que le récit ne dit pas de
la vie commune du couple.

Quant à « Messieurs les Antiphysiques », le texte
est plus retors : si la Bois-Laurier assure qu'elle les
« déteste » comme ennemis de son sexe, son discours
est marqué par une certaine ambiguïté polypho-
nique, puisqu'il rapporte au style direct les arguments favorables à la sodomie et que ceux-ci sont en
partie intégrables à la substance théorique des passages dissertatifs du roman qui invoquent la toute-
puissance des penchants et l'impossibilité de se sous-
traire au déterminisme physique. Ainsi, du point de
vue du lecteur, passe tout de même sinon une apologie, du moins une justification[1]. Mais ce même
lecteur, passé le vent délicieux de la subversion, aura
soin de se souvenir que la voix des « Antiphysiques »
prétend défendre la force des « goûts » y compris
lorsqu'ils sont « criminels, lorsqu'ils outragent la
nature », ce qui sort peut-être du régime de la *convenance* imposé par l'idéologie du roman : si l'abbé T…
assure à sa maîtresse que les criminels n'agissent

---

1. L'intertitre de la table des matières relatif à cet épisode maintient l'équivoque : « Dissertation sur le goût des amateurs du péché
antiphysique, où l'on prouve qu'ils ne sont *ni à plaindre ni à blâmer* »
(nous soulignons). La Bois-Laurier, en revanche, délègue ce point
de vue neutre aux « Antiphysiques » eux-mêmes et ne l'assume pas.

qu'en vertu de leur nature, d'abord il n'évoque nullement les sodomites, et ensuite il confie à la société le *devoir* de compenser le mal physique par le châtiment public, qui sert d'éducation à tous. On voit cependant par où le texte hésite : le criminel ne peut l'être que selon l'ordre *profane* de la loi, et non en vertu de la condamnation religieuse qui pèse sur la « créature » déchue[1].

Le militantisme philosophique impose d'arracher l'individu au discours de la culpabilité d'essence et de réhabiliter la « nature » ; mais il entend se tenir aussi à l'horizon du respect de l'ordre public. Comment émanciper sans être permissif ? L'apologie de la philosophie impose d'abord de la rendre compatible avec certaines normes : il faut inlassablement répéter qu'elle n'est pas dangereuse. La tâche n'est pas facile, car le substrat principal du discours, c'est le déterminisme de la « machine », terme sur lequel on reviendra : il n'y a pas de liberté, au sens cartésien du mot, et c'est ce qui permet de s'arracher à la puissance aliénante du remords. C'est alors, nécessairement, le corps social et son appareil punitif qui doivent prendre le relais des individus et faire en sorte d'en maîtriser la part d'incontrôlable.

Il y a une autre allusion à la sodomie dans le roman : elle se situe au moment où Dirrag, s'apprêtant à violer Éradice, hésite entre deux orifices. La satire du moine luxurieux, alors très convenue, et que le lecteur du temps peut rapprocher de qu'il a déjà pu trouver dans *Histoire de dom Bougre, portier des Chartreux*[2], souligne un goût pour le « friand morceau » propre aux gens

---

1. La question des « criminels », telle que l'expose l'abbé, permet d'articuler la proposition déiste à une séparation entre l'ordre sacré et l'ordre profane de la loi : la laïcisation de la question du châtiment – le « crime », infraction à l'ordre divin, devenant le « délit », jugé par la société selon sa mesure propre – est inséparable de la promotion des impulsions du tempérament : le criminel n'est pas *libre* de ses penchants.

2. Le « bougre » désigne familièrement le sodomite, par déformation, semble-t-il, de « bulgare » (si l'on en croit Voltaire).

d'Église[1]. Très significativement, Thérèse désigne son propre récit par sa fonction testimoniale : « Je lui dois cette justice, je vis distinctement le rubicond Priape de Sa Révérence enfiler la route canonique. » L'indiscrétion que constitue en soi la narration d'une telle scène est compensée par une sorte d'honnêteté. Thérèse sait, à cet égard, que témoigner contre l'imputation de sodomie importe fort à la réputation de Dirrag, comme de n'importe qui[2]. Pourquoi, indépendamment de la part nécessaire de satire anticléricale dans le discours *philosophique* du roman, s'y attarder ? C'est que la *scène* manifeste alors l'écart dangereux : monstrueusement bestialisé, le corps du violeur est à l'image d'un débordement passionnel qui contrevient absolument à la morale du contrôle sage de soi-même, dont on verra plus loin qu'elle est proprement celle du « philosophe ». La tentation homosexuelle doit être située dans ce cadre ; de même, dans le récit de la Bois-Laurier, le représentant des « Antiphysiques » est le dernier à apparaître dans cette galerie de débauchés, comme si cela devait constituer le sommet d'une gradation dans le monstrueux. En somme, du point de vue du *récit*, tous les penchants sont dans la nature, comme ne cessent de le proclamer les « dissertations », mais certains plus que d'autres.

Cette logique narrative en dit long sur l'idéologie du roman et sa défiance à l'égard d'un certain libertinage. On s'entend bien à être libre penseur ; mais on ne veut pas être corrupteur, ni corrompu, tout au contraire : la philosophie, dans une perspective sagement utilitariste, s'affiche pleine du souci de la vertu

---

1. En fait, il y en a même une troisième, qui se place au moment où Thérèse s'apprête à céder au comte : « Parais, Comte, je ne crains point ton dard, tu peux percer ton amante, *tu peux même choisir où tu voudras frapper*, tout m'est égal » (nous soulignons). Mais nous sommes encore dans le registre de l'égarement, condamné par l'ensemble du roman.

2. Notons qu'elle use de la même formule pour dédouaner la Bois-Laurier du soupçon d'un excès d'immoralisme : « Je dois en effet rendre justice à la Bois-Laurier [...] sa conduite n'a rien eu d'irrégulier pendant le temps que je l'ai connue. » Le récit se présente comme un service rendu aux réputations, qui compense son indiscrétion.

individuelle et de la morale publique. C'est très vite, historiquement, que l'acception intellectuelle du terme « libertin » en a recoupé une autre, pour les besoins de la polémique qui faisait rage dans le contexte de la Contre-Réforme. Quand le jésuite Garasse, qui écrit au moment dramatique du procès de Théophile de Viau sa *Doctrine curieuse des beaux esprits de ce temps* (1624), dénonce les « libertins » comme ivrognes, débauchés *et* impies, il pratique un amalgame qui repose sur un principe appelé à beaucoup d'avenir : celui qui *pense* mal *se conduit* nécessairement mal. Autrement dit : l'hétérodoxie intellectuelle ne peut aller de pair avec un comportement conforme aux seuils de tolérance morale de la société, en particulier, bien sûr, dans l'ordre de la sexualité. C'est à cette aune qu'il faut comprendre certaines stratégies discursives de *Thérèse philosophe*, où les maîtres du plaisir se soucient tant de conformer leur conduite extérieure aux injonctions et aux normes de leur temps et de leur monde. L'abbé T... va ainsi s'épuiser à démontrer à Madame C.... que le libre penseur n'est pas pour autant un « méchant homme ». Les interventions de celle-ci, si elles éclairent une figure féminine pleine de curiosité et qui, comme la marquise des *Entretiens sur la pluralité des mondes* de Fontenelle[1], ne se contente pas de subir benoîtement les leçons de son maître, servent surtout à mettre en évidence la protestation d'« honnêteté » de la philosophie. Même la discussion sur les religions, en dépit de ses moments de radicalité, ne saurait constituer un argument contre les mœurs de nos libertins de pensée : Bayle avait déjà montré, dans ses *Pensées diverses sur la comète* (1683), que « les gens voluptueux ne s'amusent guère à dogmatiser contre la religion[2] » :

---

1. Ces dialogues (1686) servent de modèle à tout le XVIIIᵉ siècle : à n'en pas douter, le roman est sous cette influence dans les passages dialogués entre Madame C... et l'abbé T...

2. *Libertins du XVIIᵉ siècle*, II, éd. J. Prévot, Gallimard, « Bibliothèque de la Pléiade », 2004, p. 1043.

c'est là une affaire pour penseurs sérieux, pas pour débauchés.

Sous couvert d'une pensée qui sent suffisamment le fagot pour n'être pas publiquement avouable, mais pas assez pour remettre complètement en question les voies de ce qui reste une « morale » circonscrite par le souci des normes sociales, politiques et sexuelles, nous avons affaire à un roman qui la met au service d'un authentique conservatisme et du paradoxe d'un libertinage s'employant à censurer ses propres possibilités d'*écart* : comme l'écrit ironiquement Philippe Roger, force est de constater que « l'immoralité de Thérèse s'avance pétrie de raisonnable modération, et sa pédagogie pavée de bonnes intentions [1] ». Contrairement aux libertins sadiens, les instituteurs de *Thérèse philosophe* se fondent entièrement sur une éthique de la « bienfaisance » – valeur cardinale des Lumières réformatrices –, à travers laquelle le « philosophe » est bien conforme au modèle idéal dessiné en 1743 par le texte éponyme de Dumarsais : un honnête homme que signalent ses « qualités sociables [2] », son désintéressement et son souci de l'autre, nourri par l'expérience de la « sympathie », comme on aime tant à dire au XVIIIᵉ siècle. Jouir ne saurait être égoïste, quand l'isolisme est, au contraire, la règle des héros de Sade ; et c'est pourquoi tout le discours et la pratique du sexe sont orientés par le *devoir* de respecter l'intégrité féminine. Laissons l'abbé T… tourner sa métaphore galante pour décrire la solution idéale que choisit de mettre en exergue le roman, à savoir le coït interrompu : « L'amant, par la réflexion ou la vue de sa maîtresse, se trouve dans l'état qui est nécessaire à l'acte de la génération : le sang, les esprits, le nerf érecteur, ont enflé et raidi son dard ; tous deux

1. Philippe Roger, « Au bonheur des dames sensées », préface à *Thérèse philosophe*, dans *Œuvres anonymes du XVIIIᵉ siècle*, III, Fayard, « L'Enfer de la Bibliothèque nationale », 1986, p. 19-20.

2. Dumarsais, *Le Philosophe*, dans *Philosophes sans Dieu. Textes athées clandestins du XVIIIᵉ siècle*, éd. G. Mori et A. Mothu, Honoré Champion, 2005, p. 32.

d'accord, ils se mettent en posture : la flèche de l'amant est poussée dans le carquois de sa maîtresse ; les semences se préparent par le frottement réciproque des parties. [...] alors l'amant sage, maître de ses passions, retire l'oiseau de son nid ». L'abbé T..., incarnation majeure du philosophe éclairé dans le roman, articule nettement ce geste précautionneux et averti à une véritable éthique sexuelle, ce que fera aussi le comte[1]. Dirrag a selon lui « péché contre la loi naturelle qui nous prescrit d'aimer notre prochain comme nous-mêmes » : non seulement il a trompé sa pénitente, mais encore il l'a mise en danger, physiquement et socialement, en ne la protégeant pas d'une possible grossesse.

Le philosophe est aussi, à cet égard, celui qui est maître de ses « passions ». Non que celles-ci soient condamnées pour elles-mêmes : *Thérèse philosophe* s'inscrit parfaitement dans le discours de réhabilitation propre au siècle et qui ouvrait d'ailleurs les *Pensées philosophiques* de Diderot. Mais le vrai sage sait ne pas se laisser emporter par telle « passion dominante » ; au contraire, il les maintient toutes en équilibre, comme le disait Diderot : « Ce serait donc un bonheur, me dira-t-on, d'avoir les passions fortes. Oui, sans doute, si toutes sont à l'unisson. Établissez entre elles une juste harmonie, et n'en appréhendez point de désordres[2]. » L'abbé T... met ainsi Thérèse en garde contre l'intensivisme passionnel qui gouvernera en revanche la conduite des libertins sadiens : « Il ne faut ni les rechercher, ni les exciter », dit-il des passions[3]. Mais il ne faut pas non plus les contraindre plus que de raison : ainsi peut-on écouter, contre les

---

1. On comparera ce souci à la prédation libertine de Valmont avec Cécile : « Oui, en vérité, je lui ai tout appris, jusqu'aux complaisances ! je n'ai excepté que les *précautions* » (Laclos, *Œuvres complètes*, éd. L. Versini, Gallimard, « Bibliothèque de la Pléiade », 1979, p. 256, nous soulignons).

2. Diderot, *Œuvres philosophiques*, *op. cit.*, p. 11.

3. Pour la Juliette de Sade, au contraire, « tout est bon quand il est excessif » (*Histoire de Juliette*, dans *Œuvres*, III, *op. cit.*, p. 387).

interdits religieux fondés sur l'effroi et le dégoût du corps, la loi du « tempérament », mot clé du texte sur lequel nous reviendrons.

Il existe, dans la société, des abus qui ont au moins besoin d'être compensés. Lorsque Madame C... interroge l'abbé sur le problème de leur choix d'une sexualité improductive, ce dernier lui oppose le scandale de la continence sexuelle des gens d'Église, scandale au regard de la philosophie, qui veut que le corps exulte selon son désir, mais aussi scandale juridique et social : après tout, c'est la loi elle-même qui prend en charge le « parasitisme » des prêtres, des moines et des religieuses, officialisant ainsi l'inutilité de toute une partie de ses membres. On retrouvera cet argument dans *La Religieuse* de Diderot. Il sert ici à mettre en contraste le sage usage des plaisirs, qui garantit du moins aux individus la santé physique et morale – car comment penser une société harmonieuse là où ils ne sont pas heureux ? – avec sa négation ou sa perversion : les dérèglements de Dirrag ou le délire mystique de sa pénitente sont, à ce titre, le produit d'une mauvaise gestion sociale.

L'option de la sexualité sans procréation n'en reste pas moins une audace, et c'est pourquoi tout est fait pour la reconduire à ce qui permet de ne pas la définir comme immorale. *La Philosophie dans le boudoir* en fera au contraire un exercice d'immoralité : le refus de la « route canonique » y sera une entreprise de destruction des fondements de la société et une confirmation par la pratique sexuelle de la force de destruction qui anime la nature. *Thérèse philosophe* doit plutôt être évalué, sur ce point, à l'aune de l'article « Jouissance » de l'*Encyclopédie*, dû à Diderot : l'idéal plaisir, c'est celui que partage un couple hétérosexuel uni par la visée de la procréation. Les Lumières peuvent ainsi conjuguer le discours de la libération sexuelle – jouir n'est pas un crime – à la valeur cardinale de l'utilité sociale, dans un contexte où le spectre de la dépopulation hante les esprits. Les amants de *Thérèse philosophe* refusent pourtant ce modèle, mais en sachant

que le leur est problématique et demande à être justifié. L'échange érotique se réclamera donc de la visée
vertueuse du bonheur qu'on trouve à faire celui de
l'autre : le pacte qui unit l'abbé à Madame C..., puis
Thérèse au comte, permet de définir ce plaisir qu'on
dit charnel comme une *application physique* du principe de bienfaisance. Le souci de respecter la femme
dans le coït interrompu autorise la réintégration du
modèle improductif dans l'harmonie sociale, gou-
vernée par la morale toute profane du bonheur pour le
plus grand nombre possible, de ce « bien de tous »
dont la fin du roman fait le but des législateurs.

Thérèse ou la vie de château

On a souvent souligné, comme étant la marque originale de *Thérèse philosophe,* l'apologie de la masturbation. On y a notamment vu l'affirmation de l'indépendance féminine, la revendication d'un choix qui
permet de résister à la volonté masculine. L'onanisme
participe en effet du rejet de la pénétration, dont la
Bois-Laurier constitue, dans le récit inséré, la frappante incarnation, en raison d'une particularité physiologique qui la rend « impénétrable[1] ». Ce corps en

---

1. Voir Anne Richardot, « Les charmes de l'impénétrable », art.
cité. Philippe Roger évoque de son côté le « bonheur dans l'impénétrable » qui constituerait l'idéal de vie défendu par le roman (préface à *Thérèse philosophe, op. cit.,* p. 22). Notons à cet égard que la
campagne d'illustrations de l'édition de Londres de 1782-1783, au
demeurant assez médiocre, résiste étrangement à cet « impénétrable » : l'une d'entre elles, en effet, montre, au mépris du texte, qui
dit bien qu'il n'y a pas coït entre les deux protagonistes, l'abbé T...
pénétrant vigoureusement Madame C... Sade se souviendra de la
figure de la grande courtisane à l'hymen indestructible lorsqu'il com-
posera celles de la Durand dans *Histoire de Juliette* et de la Martaine
dans les *Cent Vingt Journées de Sodome.* Il s'agit de bien autre chose
que du *topos* de l'étroitesse, par exemple développé dans *Vénus en rut
ou Vie d'une célèbre libertine* (1771), où la courtisane se félicite d'une
« heureuse conformation » qui autorise une jouissance singulière dans
la pénétration, préférable aux « secours trompeurs » de la masturbation (*Œuvres anonymes du XVIII*e *siècle,* III, *op. cit.,* p. 116).

résistance s'oppose totalement à la posture de soumission d'une Éradice, qui consent sans examen à *s'oublier et laisser faire* ; et on peut aussi lire toute l'histoire de Thérèse comme une entreprise de rébellion, favorisée par la figure lumineuse de Madame C..., contre un certain ordre phallique, comme le soulignait naguère Robert Darnton : « Quoi qu'il en soit, place doit être faite dans l'histoire de l'autodétermination de la femme à *Thérèse philosophe* : rédigé par un homme, l'ouvrage donne à lire une sensualité féminine qui n'est pas censée se subordonner aux plaisirs et désirs de l'homme[1]. » Si l'on compare la situation de Thérèse à celle d'autres héroïnes de romans pornographiques du temps, on trouvera qu'elle est, en effet, peu commune. Dans l'« Histoire de la sœur Monique » insérée dans *Histoire de dom Bougre, portier des Chartreux*, l'héroïne se caractérise plutôt par un désir précoce et pressant du membre masculin qui lui rend la masturbation très insuffisante. De même, dans *Margot la ravaudeuse* de Fougeret de Monbron, la narratrice se sent rapidement insatisfaite avec ce qu'elle nomme « la récréation des solitaires », qui n'est qu'une « pauvre ressource[2] ». Thérèse, au contraire, semble capable d'affirmer une véritable autonomie : le comte a bien du mal à la convaincre que le plaisir qu'il lui propose sera supérieur à celui dont elle a déjà décidé…

Est-ce pourtant si simple, puisque Thérèse finit par céder ? Il est vrai que l'abbé prépare Thérèse à *résister* aux assauts des séducteurs. De même, le récit de la Bois-Laurier, glissé entre le début de l'aventure parisienne de Thérèse et sa rencontre providentielle du comte, trouve ici une seconde motivation narrative qui permet de ne pas le considérer comme totalement divergent de la narration principale, à laquelle il se rattache d'ailleurs explicitement par le fait que la Bois-Laurier, qui a tenté de compromettre Thérèse dans la prostitution, le lui *offre* en signe de remords et de recon-

---

1. Robert Darnton, *Édition et sédition…*, *op. cit.*, p. 186.
2. *Romanciers libertins du XVIIIᵉ siècle*, I, *op. cit.*, p. 804-805.

naissance pour la leçon de philosophie que lui assène
une héroïne indignée. Comme l'ont noté beaucoup de
commentateurs, il donne à Thérèse la revanche, par un
rire burlesque qui libère de l'effroi premier, d'une véritable débâcle de Priape[1] : le moins que l'on puisse dire
est que le sexe masculin n'y brille pas par sa puissance. Cette galerie de peine-à-jouir, immergée dans
les outrances caricaturales du « bas corporel », permet à
l'héroïne de se détendre, mais seulement dans la
mesure où les hommes dont il est question sont des
« hors-nature ». La voilà donc délivrée du triste souvenir d'un Dirrag[2] – dont elle saura, en tant que narratrice, restituer les postures avec ce qu'il faut de distance
ironique et de sens du burlesque – et prête à se donner
en confiance à l'« honnête homme » qu'est le comte,
sans pour autant que l'ait quittée la peur fondatrice du
phallus. La Bois-Laurier, comme on l'a dit plus haut,
lui offre à cet égard le modèle idéal d'une résistance
physiologique à la pénétration. Mais ce modèle est, en
même temps, hors de la nature : la courtisane ne se
désigne-t-elle pas d'emblée comme un monstre, « un
être singulier », « ni homme, ni femme, ni fille, ni veuve,
ni mariée » ? Elle ne saurait donc constituer jusqu'au
bout un *exemplum* valide pour celle qui a entrepris de
suivre la voix de cette nature, manifestée par un « tempérament » qu'oriente, depuis le début, une fascination
désirante pour le « serpent ». Le rôle philosophique
du comte va précisément consister à reconduire cette
fascination de la terreur religieuse initiale, où elle s'est
d'abord fixée, à l'expression heureuse d'un penchant
donné comme tout naturel : Thérèse va apprendre à
vouloir le pénis en connaissance de cause, bien que
les moyens finalement employés puissent apparaître
comme le résultat d'une « panne » du raisonne-

---

1. Voir en particulier les remarques de Philippe Roger dans sa
préface au roman ; voir aussi Catherine Cusset, « 1748 : Thérèse,
ou la raison », dans *Les Romanciers du plaisir*, Honoré Champion,
1998, p. 77-78.
2. Et bientôt de Monsieur G..., le faux oncle de la courtisane dont
elle dit expressément qu'il lui rappelle Dirrag *sur le plan anatomique*.

ment[1] : le comte, ne parvenant pas à convaincre par le
discours de la raison philosophique, se voit contraint de
faire appel aux charmes trompeurs de l'imagination
– ne persuade-t-il pas Thérèse de lui céder en la sou-
mettant au plaisir trouble des images (les gravures
licencieuses) et des livres (les romans érotiques) ?

S'agit-il d'un paradoxe susceptible de remettre en
cause la validité de l'entreprise d'éclairement philosophique ? On peut arguer que la philosophie du roman
va au fond ici de pair avec la *mise en roman* de la philosophie, qui lui confère ce supplément de la séduction
textuelle sans lequel le lecteur lui-même ne serait pas en
mesure d'adhérer au « système ». Il y va, à cet égard, de
la justification même du protocole de lecture du roman
érotique : le lecteur doit pouvoir être, comme Thérèse,
« le singe » de ce qui lui est donné à lire et à voir, à travers les scènes où joue le dispositif voyeuriste. L'effica-
cité philosophique du texte pornographique, rappelle
Jean Goulemot, se manifeste précisément par son pouvoir de contamination érotique[2] : la vitesse même de
diffusion du désir et l'urgence du geste mimétique – par
où l'on comprend l'importance accordée ici à la masturbation, parce qu'elle est par excellence ce qui peut
arriver au lecteur[3] – sont autant de preuves du bien-
fondé de la doctrine de la force du « tempérament ». Le
protocole de lecture de ces « livres qu'on ne lit que
d'une main » n'en appelle pas à l'identification imagi-

---

1. Voir, sur ce « problème » de la philosophie, Catherine Cusset,
« L'exemple et le raisonnement : désir et raison dans *Thérèse philosophe* », *Nottingham French Studies*, 37 (1), 1998, et « 1748 : Thérèse, ou la raison », *op. cit.*, p. 69 *sq.*

2. Jean Goulemot, *Ces livres qu'on ne lit que d'une main. Lecture et
lecteurs de livres pornographiques au XVIIIe siècle*, Alinéa, 1991, p. 19 :
« Un effet corrupteur unit philosophie des Lumières et littérature
pornographique, car une même arme sert leurs fins : la séduction. »

3. « La scène sadienne, on l'a souvent noté, reste irreprésentable,
et par là même non reproductible. Tout au contraire, le modèle
idéal du plaisir offert à et par Thérèse, cet aller-retour voyeurisme-
masturbation, se trouve immédiatement réalisé par la situation de
lecture », écrit Philippe Roger (préface à *Thérèse philosophe*, *op. cit.*,
p. 25).

naire, mais à la reproduction. Un passage bien connu
de la cinquième époque de *Monsieur Nicolas*, de Rétif
de la Bretonne, atteste la puissance de cet imaginaire de
la lecture érotique, capable d'engendrer immédiatement la fureur sexuelle : le narrateur y raconte comment le seul fait de lire le *Portier des Chartreux*, *Thérèse
philosophe* (la voilà donc encore), *La Religieuse en chemise* et quelques autres, provoque « l'érotisme subit et
terrible » qui le pousse à consommer successivement les
jeunes Manon, Cécile, Thérèse, Séraphine et Agathe en
moins de deux heures[1]. On se souviendra quand même
que ce pouvoir du livre peut vraiment mettre en péril la
raison philosophique : Madame C..., « tout en feu »
après avoir lu le *Portier des Chartreux*, est à l'instant
d'oublier sa prévention à l'égard de la pénétration et ne
doit son salut... qu'à la défaillance masculine.

Si *Thérèse philosophe* est bien un « roman libertin »,
c'est au sens où s'y déploie le discours de la philosophie quant au droit des corps à disposer d'eux-
mêmes, mais aussi parce qu'il met en scène son
propre *travail* littéraire. Le texte pornographique met
souvent l'acte de la lecture excitante en abyme pour
mieux signifier son pouvoir de transgression[2]. Ce faisant, il participe d'une prise de conscience du « genre
libertin » par lui-même, à travers cette scénographie
sans cesse répétée de l'effet de lecture : il ne faut pas
s'étonner que se figure, de texte en texte, une sorte de
« livre-monde » du libertinage par lequel chacun se
donne à lire dans un réseau d'héritages complices qui
traverse malicieusement la vigilance des gardiens de la
norme sociale et où, pour le coup, rien ne distingue les
romans de la veine « érotique » de ceux de la veine
« mondaine » et aristocratique. Ouvrons la dédicace des
Bijoux indiscrets, « À Zima » : « Zima, profitez du

---

1. Rétif de la Bretonne, *Monsieur Nicolas*, I, éd. P. Testud, Gallimard, « Bibliothèque de la Pléiade », 1989, p. 1041-1042.
2. On renverra ici à Jean Mainil, « Jamais fille chaste n'a lu de
romans : lecture en cachette, lecture en abyme dans *Thérèse
philosophe* », dans *L'Épreuve du lecteur, livres et lectures dans le roman
d'Ancien Régime*, éd. J. Herman, Louvain, Peeters, 1995.

moment. L'aga Narkis entretient votre mère, et votre
auguste gouvernante guette sur le balcon le retour de
votre père : prenez, lisez, ne craignez rien. Mais quand
on surprendrait *Les Bijoux indiscrets* derrière votre toilette, pensez-vous qu'on s'en étonnât ? Non, Zima,
non ; on sait que *Le Sopha*, le *Tanzaï* et *Les Confessions*
ont été sous votre oreiller[1]. » Bibliothèque secrète, mais
active, et qui se souvient à cet égard de son maître, car
la liste n'est jamais au hasard : dans *Le Sopha*, on voit
Fatmé abandonner un livre de morale religieuse « pour
prendre celui qu'elle avait tiré de l'armoire secrète, et
qui était un roman dont les situations étaient tendres, et
les images vives. [...] Il me parut cependant que ce livre
l'animait[2] ». Carrefour fantasmatique de l'effet libertin, la lectrice se démultiplie ainsi en une chaîne conti-
nue : Fatmé est passée dans Zima, qui passe à son tour
dans notre propre expérience de lecture. De même,
Madame C... lit le *Portier des Chartreux*, grand classique érotique du temps (1741) qui va aussi rendre
Thérèse folle, avant que l'héroïne de *Félicia ou Mes fre-
daines*, roman de Nerciat, ne tombe à son tour sur *Thérèse philosophe*, et pour le même résultat combustible...
Cette même *Thérèse* qui figure, ainsi qu'on l'a déjà
vu, dans la bibliothèque d'un carme très connaisseur
chez Sade[3]. Ce que Michel Delon a défini comme « la
réflexivité du roman libertin[4] » se retrouve exemplaire-
ment dans le dénouement de *Thérèse philosophe*. La

---

1. Diderot, *Contes et romans*, éd. sous la dir. de M. Delon, Gallimard, « Bibliothèque de la Pléiade », 2004, p. 3. Les premiers titres
cités sont de Crébillon ; le troisième (*Les Confessions du comte
de ****, 1741) est un spécimen de « roman-liste » dû à Duclos, sur le
modèle crébillonien.
2. Crébillon, *Le Sopha*, éd. F. Juranville, GF-Flammarion, 1995,
p. 45.
3. Sur cet imaginaire de la bibliothèque libertine, voir le beau
chapitre « Libertins lits de lecture », dans Patrick Wald Lasowski,
Libertines, Gallimard, 1980.
4. Michel Delon, « La réflexivité du roman libertin », dans *Offene
Gefüge. Literatursystem und Lebenswirklichkeit. Festschrift für Fritz Nies
zum 60. Geburstag*, textes édités par H. Krauß, avec la coll. de L. Van
Delft, G. Kaiser et E. Reichel, Tübingen, Gunter Narr Verlag, 1993.

bibliothèque du comte est aussi celle du lecteur, dont on teste, dans la complicité, la compétence culturelle.

Quant à l'enjeu de la lecture et de la contemplation des images (les reproductions de tableaux apparaissent ici comme le nécessaire complément du texte érotique, qui se doit d'être illustré, « avec gravures » comme on dit), il consiste en un *dépassement* de la solution sexuelle qui a gouverné le roman. Le « saut » du manuélisme à la pénétration a été justifié de manière philosophique par le comte : il s'agit de passer d'une sexualité autarcique à une sexualité « sociable », tournée vers la satisfaction de l'autre. Mais le discours, on l'a dit, n'a pas suffi à résorber la terreur de Thérèse, laquelle terreur a d'ailleurs également reçu une légitimité théorique des conseils de l'abbé T... À ce moment du récit, il s'agit pour lui de préserver la jeune femme en vue d'un possible état de femme mariée, que les marques physiologiques de la pénétration rendraient évidemment impossible. Thérèse a refusé une fois qu'on lui trouve un mari, alors même que sa propre mère le lui proposait – mais elle était alors, comme elle le raconte, entichée de la manie de sainteté. Rien ne dit qu'une fois éclairée par la philosophie, elle ne puisse considérer ce rejet initial comme caduque[1].

Or, c'est seulement hors mariage qu'il est possible d'envisager un « contrat sexuel » du type de celui qu'elle va passer avec le comte : la situation conjugale, ainsi que l'ont illustré les cas malheureux de sa mère et de Madame C..., implique toujours la demande procréative. Il convient donc d'imaginer une situation de concubinage, qui est précisément celle que connaît Thérèse lorsqu'elle accepte de suivre le comte dans son château. Sans doute s'agit-il d'une audace du texte, mais il convient tout de même de la relativiser. En effet, le comte, qui appartient à l'aristocratie, ne saurait épouser Thérèse, qui, si elle devient « philo-

---

1. Il est vrai aussi qu'elle n'exprimera jamais explicitement le vœu du mariage.

sophe », n'est jamais qu'une roturière issue d'un milieu de petits négociants et reste de bout en bout une « fille ». Elle se désigne ainsi dès le début et n'a pas vraiment d'autre titre dans la bouche de ce gentilhomme qui lui parle *aussi* un langage de propriétaire féodal, évoquant crûment « cette partie qui, en bonne justice [seigneuriale ?], devrait bien être aujourd'hui de [s]on domaine ». Thérèse hésite d'ailleurs à suivre son « bienfaiteur » en raison du statut problématique de « fille entretenue » qui va être le sien[1]. C'est assez dire que l'intronisation au savoir n'a pas pour suite naturelle le renversement des hiérarchies : la sagesse de Thérèse lui dicte aussi de ne pas oublier sa place, plus en dessous qu'à côté du comte, si l'on ose dire, exactement comme elle la conduit à célébrer, dans la péroraison qui clôt le roman, « les rois, les princes, les magistrats, tous les divers supérieurs ». La reddition finale de l'héroïne passe d'ailleurs aussi par l'affirmation d'une valeur aristocratique, celle de la guerre : ce sont les *Amours de Mars et de Vénus* qui vont la persuader, et le texte compare explicitement le comte au dieu latin. Ce dénouement, même s'il repose sur un *topos* de la littérature galante, affirme un état de subordination, de captation fascinée par une figure dominatrice, d'autant plus frappante qu'elle est redoublée par celle de la narration elle-même : au « Ah ! Cher amant, je n'y résiste plus » de la scène finale, fait écho le « Eh bien ! Mon cher bienfaiteur, je ne résiste plus : écrivons », de l'incipit. Thérèse *doit* le récit au comte, d'abord parce qu'elle lui est reconnaissante de l'avoir arrachée au « labyrinthe » dans lequel menaçait de la plonger son commerce conti-

---

1. La « fille », ce n'est pas seulement, dans le langage du temps, celle qui demeure hors mariage. Comme la « demoiselle du monde », le terme peut renvoyer à la définition laconique que donne en note infrapaginale, dans *Margot la ravaudeuse* – type du « roman de la courtisane » – Fougeret de Monbron : « C'est le terme lénitif pour signifier "catin" » (*Romanciers libertins du XVIIIe siècle*, I, *op. cit.*, p. 811). On peut comparer cette situation avec le dénouement du roman de Richardson, *Paméla* (1742), où la modeste servante finit tout de même par épouser son maître.

nuel avec la Bois-Laurier et, plus trivialement, son
manque absolu de ressources : le « bienfaiteur », c'est
aussi l'homme qui lui fait une rente.

L'amant sage, celui qui sait la « ménager » afin
qu'elle ne connaisse pas les dangers de la grossesse,
est, certes, le philosophe bienveillant. Lui fait écho,
dans *Le Triomphe des religieuses ou les Nonnes babillardes*, de 1748 aussi, la figure du frère Côme,
d'ailleurs médecin, qui a soin de pratiquer avec la
sœur Julie le coït interrompu : « Mais quand on
l'adore, ce charmant objet, qu'on l'estime, dit-il de sa
maîtresse, et qu'on veut le ménager, il est nécessaire
de conserver un absolu pouvoir sur ses sens, et de lui
procurer les douceurs de l'amour sans qu'il se repente
de nous avoir accordé ses faveurs [1]. » Cependant le
comte est aussi, il ne faudrait pas l'oublier, une figura-
tion de tous ces « supérieurs » qui, à en croire la péroraison, n'auraient en vue que le « bien de tous » ; il
incarne un ordre hiérarchique présenté comme parfait
par cela seul qu'il existe et se trouve légitimé par la
volonté divine elle-même. L'histoire de Thérèse est en
ce sens aussi un « exemple » : elle manifeste la bonté
d'un pouvoir qui a su l'arracher à la courtisanerie, tout
en respectant l'ordre immuable des conditions. La
philosophie a son pendant collectif : l'idéal, que célé-
brera bientôt l'*Encyclopédie*, d'un pouvoir soucieux de
la félicité publique à travers des réformes concrètes où
pourra notamment se manifester l'attention aux questions d'hygiène et d'amélioration de l'espace urbain.

On doit donc préserver la part de l'investissement
généreux du « philosophe » à l'intérieur d'un cadre
socialement conservateur, qui constitue au demeurant
la dernière illustration de la prudence politique des
sages instituteurs : l'abbé T..., on l'a vu, n'entendait
nullement faire de l'émancipation intellectuelle et
sexuelle du sujet humain un premier pas vers la subversion de l'ordre public, qu'il s'agissait au contraire
de respecter scrupuleusement. Mais le « sage libertin »

---

1. *Œuvres anonymes du XVIIIᵉ siècle*, III, *op. cit.*, p. 223.

ne s'en propose pas moins une entreprise pédagogique remarquable : il contrôle les étapes d'une éducation qui vise à transformer une esclave des
« préjugés » en sujet libre de sa pensée et de son plaisir.
La forme du roman-mémoires, qui trouve son modèle
chez le Crébillon des *Égarements du cœur et de l'esprit*
(1736), et surtout chez le Marivaux de *La Vie de
Marianne* (1731), permet ici à une femme de faire
entendre sa voix propre et de devenir la maîtresse de
son histoire ; demandée par le comte, celle-ci est aussi
une manière, pour l'instituteur, de vérifier que l'élève
est maintenant assez libre pour revenir sur son parcours dans les termes de cette philosophie qui exige à
la fois de « l'ordre dans les matières » et de la
« lascivité » dans l'énergique rendu des scènes érotiques.

La vérité de la « machine »

L'alternance de la « scène » et de la « dissertation »
n'est pas ici un commode moyen de relever, d'épicer
l'exposé philosophique en le farcissant de représenta-
tions sexuelles propres à satisfaire le goût du public.
C'est une « forme-sens », qui manifeste un lien struc-
turel entre la vie de la pensée et celle du corps, lien
qu'il appartient à l'élève de trouver et d'éprouver, avec
l'aide de maîtres éclairés. Comme le dit bien Alain-
Marc Rieu, ceux-ci reconduisent celui-là au « principe
vital des êtres vivants soumis à un devenir, qui cherchent ce qu'est leur nature en la réalisant, en l'expéri-
mentant pour atteindre l'amour de soi, à condition
d'entendre par là la conscience de soi comme corps à
travers l'expérience de la jouissance [1] ». Cette réciprocité de la philosophie et de la volupté, c'est la notion
de « machine » qui est chargée d'en rendre compte. Le

---

1. Alain-Marc Rieu, « La stratégie du sage libertin. Éthique et mora-
lité au XVIIIe siècle », dans *Éros philosophe. Discours libertins des Lumières*,
éd. A.-M. Rieu et Fr. Moureau, Honoré Champion, 1984, p. 58.

roman bénéficie ici de l'héritage (relativement récent) du modèle mécaniste et d'un lexique qui vient de Descartes. Mais là où la thèse cartésienne des « animaux-machines » était au service du dualisme de l'âme et du corps, *L'Homme-machine* de La Mettrie, qui influence peut-être *Thérèse philosophe*[1], impose le monisme : la « machine » est le lieu où s'unissent, dans une étroite interdépendance, la vie de l'esprit et la disposition des « humeurs », des « liqueurs », du « tempérament » et de toute l'organisation physique. La voix du « tempérament » que les interdits abusifs de la religion ne permettent pas d'écouter est invoquée par Thérèse lorsqu'elle évoque un état pathologique lié aux privations et à la discipline mystique, ou son « inquiétude » enfantine, état d'inconfort physiologique[2]. Il ne s'agit pas pour autant de postuler la licence de faire tout ce que bon nous semble : la mesure des passions, dont on a vu qu'elle caractérisait le vrai philosophe, est la règle cardinale d'un plaisir qui n'a de sens que saisi dans l'*équilibre* de la machine[3]. Celui-ci peut être rompu par l'écart passionnel, comme cette fureur de vanité qui pousse Éradice, mais aussi, dans un premier temps, Thérèse, à vouloir être saintes et accomplir des miracles.

1. On remarquera, pour en revenir à la question de l'auteur, que La Mettrie a soin de demander l'envoi de plusieurs exemplaires de son ouvrage à… Boyer d'Argens.

2. Le terme doit être situé par rapport à un tournant de l'anthropologie de l'âge classique qui, avec l'abbé Dubos et ses *Réflexions critiques sur la poésie et la peinture* (1719), affirme qu'existe en l'homme une horreur du désœuvrement qui lui donne ce qu'Helvétius appellera le « besoin d'être remué » (*De l'esprit*, 1758, III, 5). Au XVIII⁰ siècle, l'inquiétude intéresse la médecine, qui la rattache au corps plutôt qu'à l'esprit : c'est un symptôme de vacance, de déséquilibre physique (voir Jean Deprun, *La Philosophie de l'inquiétude en France au XVIII⁰ siècle*, Vrin, 1979).

3. L'article « Volupté » de l'*Encyclopédie* l'affirme encore nettement : « Un esprit troublé et emporté loin de lui par la violence des passions, ne saurait goûter une *volupté* capable de rendre l'homme heureux » (*Encyclopédie ou Dictionnaire raisonné des sciences, des arts et des métiers*, XVII, Neuchâtel, Faulche, 1765, p. 458).

Dans ce dérèglement vital, le corps se méconnaît totalement : il est incapable d'interpréter correctement ses propres manifestations et, partant, de les contrôler en vue d'une sage jouissance de soi. On comprend mieux, ici, en quoi les débâcles physiologiques des « convulsionnaires » et les délires mystiques ont pu constituer, pour le roman, l'idéale toile de fond d'un discours fondé à la fois sur l'attaque de la religion et sur la clinique de la « machine » : il convenait de saisir et de dénoncer d'emblée les puissances qui président aux désordres de cette dernière. Ce qui rend le corps malade, c'est l'abus de religion : Diderot le montrera encore dans *La Religieuse*. Il fera aussi en 1772, dans l'*Essai sur les femmes*, un saisissant portrait de la délirante religieuse qu'il rapportera à un discours clinique de la crise hystérique : « Rien de plus contigu que l'extase, la vision, la prophétie, la révélation, la poésie fougueuse et l'hystérisme [1]. » De ce point de vue, l'imputation de « quiétisme » dont Thérèse fait un moment l'objet est intéressante : au-delà de la satire de l'ordre jésuite, elle renvoie à un mouvement mystique qui a eu son heure de gloire à la fin du XVIIᵉ siècle, autour de Fénelon et de sa protégée, Mme Guyon. Dans la doctrine du « pur amour », qui valut à Fénelon le soutien des jésuites contre les jansénistes, « le point principal est que l'on doit s'anéantir soi-même pour s'unir à Dieu, et demeurer ensuite dans une parfaite quiétude, c'est-à-dire dans une simple contemplation sans faire aucune réflexion, et sans se troubler en aucune sorte de ce qui peut arriver dans le corps », lit-on dans l'*Encyclopédie* [2]. L'oraison mystique apparaît comme le comble du détraquement de l'*unité* machinique ; la pénitente doit « oublier » son corps, et c'est précisément pourquoi elle oublie aussi l'usage de la raison, se mettant à la merci du discours trompeur et de l'acte corrupteur : tel est le sens de la scène de

1. Diderot, *Œuvres complètes*, II, éd. J. Assézat, Paris, Garnier, 1875, p. 255.

2. *Encyclopédie*, XIII, *op. cit.*, p. 709.

viol d'Éradice par Dirrag. De même, Thérèse tombe
malade, sa « machine » se détraque parce qu'elle s'interdit, à cause de la censure religieuse, le plaisir qui peut
seul lui donner la santé, puisqu'il est conforme à ses
« besoins », comme le dira l'abbé.

À la situation de faiblesse intellectuelle ou de confu-
sion qui caractérise certains êtres, pourtant, deux
explications concurrentes se présentent : l'une tient à
un matérialisme « naturaliste », dont La Mettrie est
un bon représentant, l'autre à un matérialisme
« d'éducation », qui se développera notamment avec
Helvétius[1]. On peut considérer, comme La Mettrie,
qu'il existe des « hommes mieux organisés » que
d'autres et qui, de tout temps, seront donc ceux qui
auront « instruit les autres[2] ». On retrouve ici le motif
élitaire évoqué plus haut : les « sots », à la fin du
roman, ce seront encore les « machines lourdement
organisées », voire les « automates », terme du même
lexique mécaniste et qui sert régulièrement à désigner
ceux qu'il faut mépriser pour leur incapacité à penser.
Le dédain libertin et un sens tout aristocratique de sa
valeur trouvent, à cet égard, un prolongement logique
dans les « romans de la mondanité », selon la formule
de Raymond Trousson. On se souvient, par exemple,
de la rage de Valmont écrivant à la marquise depuis le
château de sa tante, après la fuite de Mme de Tourvel :
« [J]e me sens plus calme depuis que je vous écris ; au
moins, je parle à quelqu'un qui m'entend, et non aux
automates près de qui je végète depuis ce matin. En
vérité, plus je vais, et plus je suis tenté de croire qu'il

---

1. Voir la présentation de Jean-Claude Bourdin pour l'anthologie
Les Matérialistes au XVIIIᵉ siècle, Payot, 1996, p. 25. Pierre Hartmann
pose quant à lui frontalement la question de ce qui lui semble être
une contradiction inhérente au roman libertin : « Quel besoin d'une
éducation pour une philosophie qui prétend s'en tenir à la nature et
ne veut qu'assurer à l'homme l'entier déploiement de ses facultés ? »
(« Nature, exemple, éducation : les paradigmes du récit libertin »,
art. cité, p. 127).
2. La Mettrie, *L'Homme-machine*, *op. cit.*, p. 164.

n'y a que vous et moi dans le monde, qui valions quelque chose[1]. »

Dans *Le Philosophe* de Dumarsais, on pouvait lire en 1743 : « Le philosophe est une machine humaine comme un autre homme ; mais c'est une machine qui, par sa constitution mécanique, réfléchit sur ses mouvements. Les autres hommes sont déterminés à agir sans sentir les causes qui les font mouvoir, sans même songer qu'il y en ait[2]. » Parfaitement lucide sur soi, ce philosophe ne se décide et ne juge qu'à la lumière de la réflexion rationnelle. Mais dans *Thérèse philosophe*, si la raison « éclaire », elle ne détermine pas : tout est imputable aux impulsions du tempérament. Le *Traité sur la liberté* de Fontenelle est plus proche à cet égard du roman : « On ne doit qu'à son tempérament même les bonnes qualités ou le penchant au bien, et il n'en faut point faire honneur à une certaine raison dont on reconnaît en même temps l'extrême faiblesse. Ceux qui ont le bonheur de pouvoir travailler sur eux-mêmes fortifient les dispositions naturelles qu'ils avaient au bien[3]. » *Thérèse philosophe*, qui bénéficie de l'écho de tous ces textes, est proche, on l'a vu, de ce déterminisme physique dans l'exposé des thèses de l'abbé et, surtout, du comte. Les machines malades, comme celles des « criminels » par exemple, ne le sont pas nécessairement à cause des méfaits de la religion : elles sont aussi mal organisées. Quant au récit de la Bois-Laurier, il explique les perversions dont la courtisane a été le témoin par la « prédilection » ou « certain défaut de conformation ». Mais ce récit commence pourtant sur l'affirmation de l'influence conjointe « du tempérament et de l'éducation ». Il est impensable, en effet, d'exclure totalement la seconde, sauf à hypothéquer la logique même du roman de formation : en effet, si un « philosophe » doit tout dès l'origine à sa « machine », comment serait-il possible de le *devenir*, ainsi qu'il

---

1. Laclos, *Œuvres complètes, op. cit.*, p. 228. Nous soulignons.

2. Dumarsais, *Le Philosophe, op. cit.*, p. 28.

3. *Nouvelles Libertés de penser, op. cit.*, p. 87.

advient à Thérèse ? La supériorité des maîtres eux-mêmes s'exprime dans les termes d'un parcours : l'abbé invoque ainsi vingt années de travail. Cependant il faut rendre compte de la massivité de la bêtise humaine : comment définir les « sots » ? Le sont-ils par pure ignorance ou par préjugé, ce qui laisse l'espoir de les corriger, ou ne faut-il pas invoquer le poids fatal d'une organisation déficiente ? Le texte hésite entre ces deux voies, illustrant ainsi le balancement de toute la philosophie des Lumières entre optimisme pédagogique et pessimisme historique, voire simplement anthropologique : pour un Voltaire, n'est-ce pas la « nature humaine » qui pose problème ?

Reste que la place de l'éducation renvoie surtout à la question religieuse : Dirrag est un instituteur, d'autant qu'il est jésuite et que la pédagogie a toujours été la grande affaire de la Société, mais il l'est évidemment sur le versant négatif. Supposer qu'une Éradice ne doit son illusion qu'à une « machine » mal combinée – ce que le roman ne dit pas explicitement –, c'est minimiser la part de la corruption volontaire et saper l'anticléricalisme du texte[1]. Dans la scène du viol d'Éradice, c'est la « mécanique » affolée et bestiale de Dirrag qui est au premier plan : nous sommes face à un « homme-machine », mais dont on ne peut conclure à un défaut originel d'organisation, ses perversions étant ramenées à l'état d'un « homme de sa robe ». Chez lui aussi, il faut donc incriminer l'influence acquise de la religion. Mais lorsque l'abbé le qualifie de « malheureux » égaré par ses passions, veut-il parler d'une déficience native de l'organisation ou des effets pernicieux d'un milieu ? Peut-être est-ce d'ailleurs une fausse question, dans la mesure où ce qui importe, c'est d'expliquer toutes les conduites et tous les caractères humains par les « penchants » et les besoins où nous mène la conformation propre de notre machine, quelles que soient les

---

1. Éradice est bien sous l'emprise du « directeur », cette version dégradée du maître à penser : ne passe-t-elle pas d'une débauche ecclésiastique à l'autre ?

causes, internes ou externes, qu'on peut ensuite assigner à son éventuel déséquilibre.

Le parcours de Thérèse est finalisé par sa nature première, qui se manifeste spontanément dès l'âge de sept ans dans le sommeil [1]. L'incipit souligne la part de l'involontaire dans l'éducation à soi-même, part que le récit se doit de restituer, parce qu'elle témoigne en faveur de la puissance invincible des « penchants » : Thérèse livrera « les détails des petites aventures qui l'ont conduite, *comme malgré elle*, pas à pas, au comble de la volupté » (nous soulignons). Mais laisser parler la machine ne suffit pas à se connaître vraiment, ni *a fortiori* à accéder au titre enviable de « philosophe ». Construit sur le principe proclamé de la « gradation [2] », le récit retrace à cet égard les étapes d'une élucidation. Thérèse commence par jouir sans savoir ni pourquoi, ni même comment, en dormant ou en rêvant. La « machine » n'est d'abord que le nom de l'inconscience : « Machinalement je me plaçai dans la même attitude que celle où j'avais vu Éradice... » Il faut attendre les premiers conseils de l'abbé, dont l'« air de vérité » aiguise enfin un début d'esprit d'examen, pour que Thérèse observe son anatomie avec l'attention nécessaire à une découverte personnelle et active de ce qui fait vraiment jouir. Le texte associe aussitôt l'« heureuse découverte » à une étape dans l'éducation philosophique : « je m'accoutumais à penser, à raisonner conséquemment ». *Qui aperit vulvam aperit atque mentem* [3] : dans cette circulation entre le

---

1. Ce déterminisme s'appuie aussi sur un raccourci de roman familial, esquissant lui-même une ébauche de théorie des climats : Thérèse tient de sa mère, fille du sud munie de « l'heureux tempérament d'une voluptueuse Venceropale »...

2. « Gradation, en rhétorique, est une figure par laquelle on assemble des choses qui enchérissent les unes sur les autres. C'est ainsi qu'on présente le tableau gradué des passions, en peignant leurs commencements, leurs progrès, leur force, leur violence » (*Dictionnaire de Trévoux*, IV, Paris, 1771, p. 584).

3. « Qui ouvre la vulve, ouvre l'esprit. » Plaisante maxime qu'on trouvera dans *L'Académie des dames*, dialogue libertin dû à Nicolas Chorier (1680) qui a été un modèle pour la littérature érotique du XVIIIe siècle, et qui fait partie de la bibliothèque galante du comte.

corps et la philosophie, se donne à lire la vérité matérialiste. Dans la scène où Thérèse, cachée au pied du
lit – elle connaît maintenant les ruses que dicte la
libido sciendi –, surprend les ébats de l'abbé et de
Madame C..., c'est encore « machinalement » qu'elle
devient « le singe » de ce qu'elle voit. La scène, à
l'image du livre érotique lui-même, manifeste sa puissance mimétique ; mais elle s'adresse alors à un corps
qui a suffisamment « progressé » pour s'affranchir des
limites fixées par le maître, dont elle constate *de visu*
qu'il ne les respecte pas lui-même [1].

La jouissance s'exprime alors dans les termes où
peut s'énoncer le bonheur de savoir. « J'entreprendrais
inutilement, mon cher Comte, de vous dire ce que je
pensais alors : je ne sentais rien pour trop sentir. » Ce
triomphe de la machine est indissociablement celui
du plaisir de l'étude, que La Mettrie décrit ainsi :
« Enfin l'étude a ses extases, comme l'amour. S'il
m'est permis de le dire, c'est une catalepsie ou immobilité de l'esprit si délicieusement enivré de l'objet qui
le fixe et l'enchante, qu'il semble détaché par abstrac-
tion de son propre corps et de tout ce qui l'environne,
pour être tout entier à ce qu'il poursuit. Il ne sent rien,
à force de sentir [2]. » L'intensité de la jouissance est ici
concomitante à l'enthousiasme philosophique, car
Thérèse a véritablement pris plaisir à la dissertation
sur la « Nature » et, qui plus est, attend avec impatience celle qui va suivre sur les religions, où elle pres-
sent qu'elle trouvera de quoi nourrir son désir
d'émancipation : l'instituteur est, à proprement parler,
un *stimulant*, dont l'effet sur l'esprit n'est pas sépa-
rable de l'effet sur le corps. C'est une machine enfin
rendue à l'équilibre sexuel qui va se précipiter dans sa

---

1. L'abbé, qui a cherché à convaincre sa maîtresse des bienfaits
du coït, alors même qu'il prône la prudence, a interdit à Thérèse
d'enfoncer son doigt dans un orifice qui se doit de rester « vierge »...
On doit noter que Madame C..., qui a été mariée et vit librement,
n'est pas susceptible d'être compromise par les marques de la pénétration.

2. La Mettrie, *L'Homme-machine*, *op. cit.*, p. 137-138.

chambre, non pas pour se livrer une fois encore à la masturbation, mais pour transcrire ce qui a été entendu : mise en abyme du récit lui-même, qui se présente alors comme le redoublement, l'*après-coup* si l'on ose dire, de ce premier exercice de mémorisation. L'histoire de Thérèse est aussi celle d'une attention intellectuelle grandissante. Éros et philosophie, comme dans l'antique tradition platonicienne du *Banquet*, ont bien partie liée.

Connaisseur des « tempéraments », l'éducateur philosophe se veut à cet égard volontiers médecin[1]. L'abbé souligne avec satisfaction sa propre action pédagogique en ces termes : « Avoue que je suis aussi bon médecin que docile confesseur. Je lui ai guéri le corps et l'esprit. » La figure médicale apparaît comme une garantie morale : elle concurrence ici victorieusement celle du libertin corrupteur, mais aussi celle des scoliastes obscurs, ces « théologiens fourbes et cruels » apostrophés d'emblée dans le roman. La promotion de la médecine dans le champ de la philosophie est déjà ancienne : on sait que Descartes y a contribué, et c'est d'ailleurs de lui, entre autres, que se réclame La Mettrie dans *L'Homme-machine* pour célébrer le médecin, « seul philosophe qui mérite de sa patrie ». Le médecin se réclame en effet de l'expérience éclairante, contre les « études obscures » des « théologiens », qui ne peuvent rien comprendre du « mécanisme des corps[2] ». Le déterminisme, pour lequel la liberté ne peut être que

---

1. Voir sur ce point les remarques d'Alexandre Wenger, « Lire le désir. Le médecin et le libertin à l'époque des Lumières », *Dix Huitième Siècle*, 37, 2005, p. 544. Le *Dictionnaire de l'Académie française* (II, Paris, 1740, p. 745-746) définit ainsi le « tempérament » : « Complexion, constitution du corps, mélange des humeurs dans le corps de l'animal. Il ne se dit guère qu'en parlant de l'homme. [...] Il se dit aussi, du caractère et de la disposition naturelle des esprits. » Le roman libertin croise ces deux acceptions au profit de l'idée d'une disposition physiologique au plaisir sexuel. Le mot a d'abord été lié à la tradition médicale antique des quatre « humeurs » : il signale le discours médical, technique, autant que celui de la philosophie.

2. La Mettrie, *L'Homme-machine, op. cit.*, p. 141 et 147.

celle de suivre les goûts où nous entraîne notre
« tempérament », n'est donc nullement incompatible,
tout au contraire, avec l'intervention de bons instituteurs. De leur articulation résulte la logique même du
roman de formation : il devient un roman du *développement*, de la germination [1]. La métaphore végétale est
en effet présente dans le texte pour justifier l'existence
de moyens d'éducation : « S'il est vrai qu'ils ne nous
donnent rien, et que chacun ait en soi les germes de
tout ce dont il est capable, il est du moins certain
qu'ils servent à développer ces germes » qui, sinon,
« resteraient enfouis dans leurs entraves et dans leurs
enveloppes ». L'image fait écho à ce que La Mettrie
écrit des médecins : « Ceux-ci ont parcouru, ont
éclairé le labyrinthe de l'homme ; *ils nous ont dévoilé ces
ressorts cachés sous des enveloppes*, qui dérobent à nos
yeux tant de merveilles [2]. »

Pour retrouver la vérité de sa nature, l'héroïne aura
eu aussi à se délivrer d'influences pernicieuses : son
parcours est orienté par la perfectibilité, faculté de
progresser nourrie par l'expérience des obstacles à
surmonter, mais aussi par l'adjuvant puissant de
« leçons » distribuées par des instituteurs soucieux de
sa libération des tutelles. Comme le philosophe de
Dumarsais, elle aura appris à « monter » sa propre
« machine » et à en connaître les ressorts. C'est ainsi
qu'elle peut pratiquer avec le comte une sexualité
d'égal à égal, au sens où s'établit un contrat de
confiance : à la réticence jamais démentie de Thérèse,
répond bien la précaution de son amant. L'accord est
tel, qu'il dure depuis dix ans... S'agit-il d'amour,
demandera-t-on ? Oui, si l'on admet, comme l'affirme
un mot célèbre du Buffon de l'*Histoire naturelle*, qu'il
n'y a « que le physique de cette passion qui soit

---

1. C'est avec raison, nous semble-t-il, que Pierre Saint-Amand
convoque, dans sa présentation du roman, la catégorie spitzerienne
de « roman d'explication », « l'héroïne atteignant progressivement
l'étendue de ses capacités innées » (*Romanciers libertins du XVIIIe siècle*,
I, *op. cit.*, p. 1292).

2. *Ibid.* (nous soulignons).

bon[1] » : pour le naturaliste, « le moral de l'amour » est
en effet orienté par la « vanité », qui conduit au désir
d'exclusivité et à la jalousie, passion « basse » par
excellence. Les amants sont unis par un pacte de réciprocité dans la satisfaction des besoins du corps :
« rendre heureux », c'est faire jouir l'autre comme il le
désire. Il y a, chez les héros du roman, une vraie
défiance à l'égard de tout ce qui pourrait précisément
rendre l'amour *passionné*. La condamnation, par
l'abbé, de la jalousie au profit des vertus du partage,
remède à un exclusivisme toujours menacé de dégé-
nérer en aliénation, est un thème récurrent du discours libertin et participe de sa défiance affichée à
l'égard du sentiment amoureux. L'une de ses sources
est sans doute Lucrèce qui, dans *De la nature*, évoque
les vertus de la « Vénus vulgivague[2] ». Sade se souviendra de ce terme dans *La Philosophie dans le boudoir*, où il sert une conception radicale de l'échan-
gisme sexuel qui va, de fait, bien au-delà de la
philosophie de l'abbé : « Il est certain que, dans l'état
de nature, les femmes naissent *vulgivagues*, c'est-à-
dire jouissant des avantages des autres animaux
femelles, et appartenant, comme elles et sans aucune
exception, à tous les mâles », étant entendu que
l'amour est un scandaleux « acte de possession[3] ». De
même, l'exemple du « Persan » invoqué par l'abbé est
sans doute un souvenir des *Lettres persanes* de Montesquieu (1721), où Usbek apparaît comme déchiré
entre sa « philosophie » et la passion despotique de la
jalousie.

Autour de la question de la jalousie et du partage,
l'abbé réactive au passage un motif traditionnel du
discours philosophique antique, en particulier stoïcien
et cynique, tel que s'en font notamment l'écho les *Vies
des hommes illustres* de Diogène Laërce, sur le lien

1. Buffon, *Œuvres complètes*, II, éd. P.-M. Flourens, Paris, Garnier, 1853, p. 351.
2. *De la nature*, chant IV, v. 1063-1072.
3. Sade, *Œuvres*, III, *op. cit.*, p. 132.

entre le philosophe et l'amour vénal. On lit ainsi dans le *Theophrastus redivivus*, manuscrit clandestin des années 1660 qui contribue largement à la diffusion des thèses antireligieuses et matérialistes dès le début du XVIIIe siècle : « Ainsi l'union entre l'homme et la femme doit être libre et sans entrave, de manière que chacun puisse fréquenter qui il veut autant qu'il veut ; par conséquent, l'usage des prostituées vaut mieux que le mariage. Il ne rebutera certes pas l'homme sage ; et même, Théodore disait qu'il les rencontrerait en public, sans pudeur ni réticence, comme le rapporte Diogène Laërce (*Vie de Théodore*) : de fait, une femme ayant reçu une éducation littéraire n'est-elle pas utile parce qu'elle est cultivée[1] ? » La comparaison relève de l'argument utilitaire que l'expression, plutôt crapuleuse, de « petite fille *ad hoc* », chez l'abbé, illustre à sa façon.

Thérèse philosophe rencontre ainsi, sans toutefois en adopter complètement le ton satirique – puisque la modération et l'équilibre de la « machine » sont ici une affaire sérieuse –, le cynisme démystificateur des libertins du roman mondain. Dans *La Nuit et le Moment*, Crébillon fait ainsi dire à Clitandre, face à une Cidalise faussement étonnée : « On sait aujourd'hui que le goût seul existe, et si l'on se dit encore qu'on s'aime, c'est bien moins parce qu'on le croit, que parce que c'est une façon plus polie de se demander réciproquement ce dont on *sent* qu'on a besoin[2]. » Car, comme

---

1. *Libertins du XVIIe siècle*, I, *op. cit.*, p. 361-362.
2. *Romanciers libertins du XVIIIe siècle*, I, *op. cit.*, p. 261 (nous soulignons). Les libertins de Crébillon ne manquent pas de se gausser du « platonisme » des grands sentiments, ou « métaphysique de l'amour », comme plus tard Mme de Merteuil épinglera « le *sentimentaire* Danceny ». Le roman pornographique n'est évidemment pas en reste ; dans *Margot la ravaudeuse*, par exemple, on trouve cette crâne profession de foi : « S'entête qui voudra de belle passion et de tendresse platonique ; je ne me repais point de vapeurs : les sentiments épurés et alambiqués de l'amour sont des mets qui ne conviennent pas à ma constitution ; il me faut des nourritures plus fortes » (*ibid.*, p. 857).

dit ironiquement le narrateur blasé de *Point de lendemain* : « Nous sommes tellement *machines*[1] » !

La transparence pédagogique

Le philosophe médecin, c'est aussi celui qui garantit
la clarté de la parole. Le discours médicalisé que
l'abbé tient à Thérèse pour lui expliquer « la fabrique
du genre humain » mobilise les connaissances – et
les hypothèses – physiologiques du temps et se veut,
comme le note Catherine Cusset, « matérialiste, concret,
sans métaphore[2] » : il illustre le principe d'une « por-
nographie éclairée[3] ». En effet, le principal opposant à
la vérité, c'est le discours obscur : le premier confesseur
de Thérèse use d'un langage figuré, hérissé de méta-
phores effrayantes qui témoignent du refus de parler
clairement des choses du corps. C'est déjà cette parole
opaque, manifestée comme telle par l'italique – *attouchements*, *impudicité* – qui confond l'enfant de sept ans,
en larmes, auprès de sa mère. C'est encore le mensonge,
voire le scandale, d'une transposition de la réalité
sexuelle dans le registre spirituel chez le père Dirrag, qui
crée le malaise et la « sainte horreur » de la jeune femme,
laquelle sent confusément que la scène à laquelle elle
assiste repose sur quelque chose de fondamentalement
anormal. On doit y opposer le langage simple et sans
apprêts des « bons » instituteurs, qui expliquent posé-
ment à Thérèse comment elle doit en user avec son anatomie et quels sont les secrets de la génération. C'est
parce que l'émotion sexuelle de la « machine » corpo-
relle est posée comme absolument requise en nature
qu'elle se doit d'être formulée en termes clairs et que le
texte fait à ce point valoir les pouvoirs de la scène, en

---

1. Dominique Vivant Denon, *Point de lendemain*, éd. M. Delon,
Gallimard, « Folio », 1995, p. 53.
2. Catherine Cusset, « 1748 : Thérèse, ou la raison », *op. cit.*,
p. 68. On verra un peu plus loin qu'il y a, toutefois, un « bon usage »
du langage imagé chez l'abbé.
3. *Ibid.*, p. 74.

tant qu'instrument privilégié de l'apprentissage de soi. Le corps érotique est nécessairement *démonstratif* : ce qu'il manifeste d'abord, c'est qu'il n'y a rien à cacher[1]. Lorsque, avec la distance ironique de la narratrice dessillée, Thérèse analyse dans le plus grand détail les manœuvres de Dirrag et le montage de ses postures, elle dévoile un mensonge fondamental et, par là, affirme la capacité du regard philosophique à la démystification. Prenant appui sur un lexique mécaniste (« impulsion », « rétroaction », « cheville ouvrière », « mécanique »), elle met à nu la *machine* à la façon d'une planche de l'*Encyclopédie* qui serait consacrée à l'étrange métier de « pénétrateur »… L'incipit est à cet égard exemplaire et mérite que nous y revenions, puisqu'il met en place un protocole autobiographique fondé sur le renoncement à toute dissimulation, définissant ainsi une sorte de poétique de l'*ethos* libertin : « Non, vous n'essuierez jamais un refus de votre tendre Thérèse ; vous verrez *tous* les replis de son cœur dès sa plus tendre enfance ; son âme *tout entière* va se développer », promet la narratrice[2].

Le roman érotique se présente ici comme porteur d'une salutaire transparence énonciative, qui répond aux détours de la « gaze » caractérisant le roman « mondain », où le discours policé et contraint des salons élégants ne fait parler le désir qu'à mots couverts. Paru la même année que *Thérèse philosophe*, *Le Triomphe des religieuses ou les Nonnes babillardes*, quoique fort mesuré dans l'énonciation pornographique, évoque ainsi avec dérision les impasses et la tartufferie du voile langagier. Agnès se moque de l'« hypocrisie » de la formule de Julie qui prétend désigner le sexe masculin comme « la pièce d'introduction virile », si bien que la riposte piquée de son amie ne sau-

---

1. Thérèse ne voit-elle pas dans les conseils de l'abbé « une sorte de démonstration soutenue » ? Le terme a aussi un sens médical : c'est l'exposition du corps dans la dissection anatomique. Les libertins de *La Philosophie dans le boudoir* usent de cette double acception au moment où ils dispensent à Eugénie sa première leçon d'anatomie sexuelle.

2. Nous soulignons.

rait être vraiment prise au sérieux : « Quand les mots
nous paraissent obscènes, il en faut purifier l'in...gruité
en lui donnant une tournure telle qu'ils puissent être
prononcés sans blesser les oreilles chastes[1]. » La
pudeur sur les « syllabes sales » est devenue bien ridicule depuis la querelle fameuse autour de l'obscénité
des *Femmes savantes* – et Julie d'invoquer malicieusement la sœur Dorothée, qui ne parle que de son
« fesseur », du « caire » et du « ré » de la paroisse...

   Le libertinage aristocratique est d'abord caractérisé
par l'habileté rhétorique, mais il devient suspect par
cela même : car s'il n'y a aucune honte à *faire*, pourquoi y en aurait-il à *dire* ? Jean-Christophe Abramovici
a mis en lumière les termes du débat qui traverse l'âge
classique à partir du texte fondateur de Pierre Bayle,
Éclaircissement sur les obscénités : le détour gazé y est en
effet perçu comme un appel insidieux à l'imagination
« sale », ce qui définit l'obscène[2]. En 1748, toujours
année fameuse, décidément, paraît l'ouvrage de Toussaint – qui sera scandalisé par *Thérèse philosophe* au
point d'écrire une *Anti-Thérèse*[3] ! – intitulé *Les Mœurs*,
où l'on peut lire au chapitre « Des discours libres » :
« Pour s'exprimer sur les matières dont la pudeur peut
s'alarmer, il est deux langues tout à fait différentes.
L'une est celle des médecins, des matrones et des
rustres : ses expressions sont crues, énergiques et cho-
quantes. L'autre a des mots choisis, des périphrases
mystérieuses, des tournures énigmatiques, des termes
entortillés. [...] C'est cette langue que les gens bien
nés parlent devant le beau sexe[4]. » L'alternative est
cruelle : ou bien la crudité rebutante, ou bien le ton et

----

1. *Le Triomphe des religieuses ou les Nonnes babillardes*, dans
Œuvres anonymes du XVIIIᵉ siècle, III, *op. cit.*, p. 212.

2. Jean-Christophe Abramovici, *Obscénité et classicisme*, PUF,
2003. Voir aussi, du même auteur, l'anthologie commentée *Le Livre
interdit*, Payot, 1996.

3. *L'Anti-Thérèse, ou Juliette philosophe, nouvelle messine véritable,
par M. de T***,* La Haye, 1750.

4. François Vincent Toussaint, *Les Mœurs*, Amsterdam, 1748,
p. 164.

les détours hypocrites de la « bonne compagnie ».
Les instituteurs de Thérèse choisissent une raisonnable voie moyenne, entre la nécessité qui sera plus
tard proclamée par le Bordeu du *Rêve de d'Alembert*
– « Quand on parle science, il faut se servir des mots
techniques[1] » – et la prudence convenable d'une civilité de bon aloi, où la vérité du corps n'interdit pas le
recours à l'euphémisme, lequel se présente alors non
comme un mensonge, mais comme un égard de la
« délicatesse » : l'abbé, par exemple, a soin de ne pas
choquer Thérèse. Le langage du maître est *gradué* :
il tient compte de la capacité de l'autre à entendre
et d'un certain seuil de convenance sociale. Avec
Madame C... elle-même, l'harmonie épicurienne
réclame des images empruntées aux *topoï* galants
(« flèche », « carquois »...) : nous ne sommes pas aux
Halles[2] ! Mais nous ne sommes pas pour autant chez
Tartuffe. *Thérèse philosophe* condamne bien le langage
du détour, et le point de vue du texte, qui ménage un
contraste entre la scène « lubrique » du début et la
scène « euphorique » des ébats de l'abbé et de sa
maîtresse, repose sur la même dénonciation : est
« obscène » celui qui dissimule, comme Dirrag, et non
celui qui montre ; celui pour qui la sexualité relève du
« sale », non celui pour qui elle est simplement
naturelle[3].

On connaît la page célèbre de *Jacques le Fataliste* où
Diderot apostrophe en ces termes le lecteur possible-
ment choqué par ses « obscénités » : « Vilains hypo-

---

1. Diderot, *Le Rêve de d'Alembert*, éd. C. Duflo, GF-Flammarion,
2002, p. 122.
2. Catherine Cusset, pour sa part, trouve dans le discours méta-
phorique de l'abbé, qui tâche de convaincre Madame C... des bienfaits de la pénétration, la trace d'un mensonge analogue à celui du
confesseur ou de Dirrag : la métaphore serait toujours le signe
d'une faiblesse de la philosophie face à l'émergence inattendue du
désir (« 1748 : Thérèse, ou la raison », *op. cit.*, p. 70-71).
3. Claude Reichler oppose ainsi le « corps obscène », bestialisé,
du Dirrag violeur au beau corps des amants épiés par Thérèse, qui
vivent selon la nature et incarnent *physiquement* une morale de l'harmonie sexuelle. Voir *L'Âge libertin*, Éditions de Minuit, 1987.

crites, laissez-moi en repos. Aimez comme des ânes
débâtés, mais permettez que je dise J'aime, nous
aimons, vous aimez, ils aiment ; je vous passe l'action,
passez-moi le mot. Vous prononcez hardiment, tuer,
voler, trahir, et l'autre vous ne l'oseriez qu'entre les
dents ? Est-ce que moins vous exhalez de ces préten-
dues impuretés en paroles, plus il vous en reste dans la
pensée ? Et que vous a fait l'action génitale, si naturelle, si nécessaire et si juste, pour en exclure le signe
de vos entretiens, et pour imaginer que votre bouche,
vos yeux et vos oreilles en seraient souillés[1] ? » Le discours du père Dirrag, celui du confesseur de Thérèse,
signaleront leur incongruité dissimulatrice par l'effet
dévastateur qu'ils produisent sur l'imagination. Cet
effet peut confiner à l'érotomanie : le sommeil de
Thérèse, après avoir subi la harangue du confesseur
sur le « serpent », n'est-il pas troublé par l'étrange, la
monstrueuse vision d'un phallus volant ? Même si
l'on peut voir dans cet épisode l'illustration du grand
principe du roman, à savoir que le désir secret du
corps est toujours plus fort que la censure qu'on
cherche à lui imposer – le songe rend le serpent
« charmant » et lève l'inhibition –, il faut le prendre
aussi, à ce moment de la diégèse, comme un *délire* de
l'imagination[2]. Thérèse a alors cédé à l'obscène : le
sexe masculin devient une surprenante chimère, sans
rapport avec la réalité – qui demande du moins qu'un
autre corps en soit le prolongement ! Cet oubli de la
vérité de l'échange sexuel est en soi préoccupant : la
jeune fille n'est pas dans le désir équilibré, mais dans
l'*invidia* fétichiste. Voilà l'effet du discours trop figuré,
et par là même suspect : au lieu de détourner l'individu de la curiosité sexuelle, comme il le prétend, non
seulement il la motive, mais il en pervertit le caractère
naturel. Encore adolescente, la marquise de Merteuil
ne s'y trompera pas, comprenant vite que le confes-

---

1. Diderot, *Contes et romans*, *op. cit.*, p. 835.
2. Il y a ici, comme dans tout texte d'initiation libertine, une
« bonne » et une « mauvaise » imagination.

sionnal est le lieu où l'esprit peut venir aux filles :
« Aussitôt je pris mon parti ; je surmontai ma petite
honte ; et me vantant d'une faute que je n'avais pas
commise, je m'accusai d'avoir fait *tout ce que font les
femmes*. Ce fut mon expression ; mais en parlant ainsi,
je ne savais, en vérité, quelle idée j'exprimais. [...]
mais le bon père me fit le mal si grand, que j'en con-
clus que le plaisir devait être extrême ; et au désir de le
connaître, succéda celui de le goûter[1]. » La marquise
analyse d'emblée le discours religieux et le tourne à
son profit, là où Thérèse, qui n'est pas à proprement
parler une héroïne de la cérébralité libertine, est
encore contrainte de laisser passivement parler sa
« machine » ; il n'empêche que celle-ci laisse éclater
une vérité, celle du plaisir.

On pourra, là encore, juger la morale linguistique
du roman aussi « convenable » que sa morale sociale
– de laquelle elle est d'ailleurs indissociable. Nul excès
n'apparaît comme recevable, et l'audace n'est pas
même dans la crudité des termes, finalement fort
mesurée. Madame C... dira même du *Portier des
Chartreux* : « S'il était moins ordurier, ce serait un livre
inimitable dans son genre. » On est loin de *La Philosophie dans le boudoir*, où la leçon libertine commence
avec l'apprentissage des « mots techniques » et des
parties du corps jouisseur – puisqu'il ne peut en
exister d'autre. Saint-Ange traduit dans le registre
délibérément *obscène* la langue de la science : chez
Sade, le « mot technique » doit être cru, sale, pour
mieux dire le destin sexuel d'un corps libertin rendu à
l'« incivilisation[2] ». Il s'oppose au « mot de l'art », par
quoi la médecine se contente de décrire un corps
dévolu aux fonctions vitales de base et notamment à
celle, soi-disant naturelle, de la reproduction, c'est-à-
dire d'une sexualité sans déviance, conforme aux
attentes de la société et de la morale religieuse : dire

---

1. Laclos, *Œuvres complètes*, *op. cit.*, p. 172.
2. Forgé par Sade, le néologisme se trouve dans *La Philosophie
dans le boudoir*, mais aussi dans *Histoire de Juliette* et *Aline et Valcour*.

« testicules », c'est parler le langage de la convenance et préserver « l'honnêteté » de la neutralité scientifique, mais dire « couilles[1] », c'est parler celui de la jouissance dans tout son excès passionnel, cette fois intensément revendiqué. *Thérèse philosophe*, où la narratrice s'interdit même de *nommer* le clitoris comme tel – c'est une « éminence » et une « heureuse découverte », sans plus –, n'est certes pas un roman sadien[2] : son message est celui d'une libération tranquille, pas d'une révolution.

Pour conclure : l'esprit de 1748

Thérèse philosophe apparaît dans un contexte éditorial dont on serait tenté de penser qu'il a été tout exprès aménagé pour asseoir le succès du genre, alors déjà bien en vogue, des romans érotiques. Récapitulons. Arrivé sous le manteau en fin d'année, le livre prend en effet place dans une série de parutions qui mettent en relief le parcours d'une femme : *Fanny Hill* de Cleland, bien sûr, mais aussi *Les Bijoux indiscrets* de Diderot, *Psaphion ou la Courtisane de Smyrne* de Meusnier de Querlon, une *Hipparchia* (attribuée à Beauchamps)[3], du nom de la célèbre compagne de route des Cyniques devenue une sorte d'archétype de la « femme-philosophe » pour avoir été immortalisée par Diogène Laërce dans ses *Vies des hommes illustres*, et, pour finir, l'anonyme mais néanmoins suggestif *Triomphe des religieuses ou les Nonnes babillardes*, sous

---

1. Pour la libertine de *La Philosophie dans le boudoir*, qui expose à une Eugénie fascinée les parties du corps sexuel, il est clair que « le mot technique est *couilles*, testicules est celui de l'art » (Sade, *Œuvres*, III, *op. cit.*, p. 18).

2. Dans la leçon anatomique d'Eugénie, tout est clairement nommé : « Cette languette qu'on trouve au-dessous [de la motte] se nomme le *clitoris* » (*ibid.*, p. 21).

3. Godard de Beauchamps, auteur de l'*Histoire du prince Apprius* (1728), texte dont s'est d'ailleurs souvenu Diderot pour ses *Bijoux indiscrets*.

la forme – sans doute inspirée d'un classique du siècle précédent, *Vénus dans le cloître ou la Religieuse en chemise* – d'un dialogue. On rappellera enfin qu'en cette année 1748, il est probable qu'ait été détruite par la police la première édition de *Margot la ravaudeuse* de Fougeret de Monbron, dont il a déjà été question. Outre la mode du roman « de la courtisane[1] » et celle, plus convenue, des débauches ecclésiastiques, on soulignera l'affirmation de figures féminines définies par une compétence « philosophique » : il y a là, incontestablement, entrée en force d'une figure littéraire sur laquelle peut prendre appui le discours militant des Lumières. Thérèse, comme Hipparchia ou le beau personnage de Mirzoza dans *Les Bijoux indiscrets*, incarne sans nul doute la possibilité d'un véritable *sapere aude* féminin. Toutes sont, à un titre ou à un autre, les sœurs annonciatrices de la Juliette de Sade ou de la *Julie philosophe* de Nerciat (1791).

D'où l'inévitable question : 1748, année érotique, ou année théorique « chaude » pour la philosophie ? Les deux, bien sûr. La concentration soudaine d'ouvrages « licencieux » confirme sans nul doute une dynamique d'ensemble du marché littéraire : les années 1740, dans le sillage de Crébillon, mais aussi des grands modèles « lascifs » venus du siècle précédent[2], puisent dans la veine « mondaine » et la veine « obscène » de la fiction libertine pour donner ces classiques du genre, aujourd'hui sortis des limites vaguement déshonorantes du « second rayon » et qui ont, eux aussi, été évoqués à un titre ou à un autre dans cette présentation : l'*Histoire de dom Bougre, portier des Chartreux*, les *Confessions du comte de ****, de Duclos (1741), *Le Sopha* de Crébillon (1742), *Thémidore ou Mon histoire* de Godard d'Aucour (1744), *La Tourière*

---

1. Voir Mathilde Cortey, *L'Invention de la courtisane au XVIIIe siècle dans les romans-mémoires des « filles du monde » de Madame Meheust à Sade, 1732-1797*, Paradigme, 2001.

2. Il faut évoquer ici *L'École des filles* (1655) et *Vénus dans le cloître ou la Religieuse en chemise*, dans les années 1670.

des Carmélites de Meusnier de Querlon (1745),
Angola (1746) et *Les Lauriers ecclésiastiques* (1747) de
La Morlière. Mais un certain nombre de ces romans,
comme *Thérèse philosophe*, sont aussi des « passeurs »
d'un discours anticlérical qui affirme le droit indivi-
duel au bonheur, par la pratique d'une sexualité libre
de toute culpabilité. Le texte des *Bijoux indiscrets* peut
même être considéré comme beaucoup plus qu'un
brillant pastiche du crébillonisme et de la vogue de la
fiction orientale : c'est déjà, à bien des égards, un texte
d'esprit « encyclopédiste », alors que Diderot a signé,
l'année précédente, le contrat par lequel il devient
directeur d'une des plus grandes aventures intellec-
tuelles des Lumières. 1748, c'est aussi *De l'esprit des
lois* de Montesquieu, le *Telliamed* de Benoît de Maillet,
et l'année indiquée pour l'édition de *L'Homme-
machine* de La Mettrie, en fait de fin 1747 – cette
année où fut publié *Zadig*. On doit même y joindre *Les
Mœurs* de Toussaint, qui sera un collaborateur actif de
l'*Encyclopédie*. Ajoutons que cette avalanche de livres,
érotiques ou pas, est en général anonyme : la philosophie avance masquée, à l'aube de ce qui va être sa
grande époque[1]. *Thérèse philosophe* est l'une des
bornes qui marquent ce début de conquête, où se
mêlent audace et prudence. Dans l'entreprise d'élucidation de soi et du monde qui gouverne le parcours de
l'héroïne, on peut déjà lire le vigoureux appel au courage intellectuel qui sera la marque du discours des
Lumières à leur apogée, quand elles n'hésiteront plus
même à assumer leur part la plus radicale. En 1770, le
baron d'Holbach retrouve ainsi dans son *Système de la
nature* les mots et les formules mêmes du roman :
«Tâchons donc d'écarter les nuages qui empêchent

---

1. Sur l'étonnante conjonction éditoriale de cette année et son
lien à l'affirmation de l'esprit des « Lumières », voir Catherine Volpilhac-Auger, « Lire en 1748 : l'année merveilleuse ? », dans *1748,
l'année de L'Esprit des lois*, sous la dir. de C. Volpilhac-Auger et
C. Larrère, Honoré Champion, 1999. L'auteur y souligne notamment que « l'année 1748 constitue sans aucun doute un moment
déterminant dans l'évolution de la librairie » (p. 55).

l'homme de marcher d'un pas sûr dans le sentier de la vie ; inspirons-lui du courage et du respect pour sa raison ; qu'il apprenne à connaître son essence et ses droits légitimes ; qu'il consulte l'expérience et non une imagination égarée par l'autorité ; qu'il renonce aux préjugés de son enfance ; qu'il fonde sa morale sur sa nature, sur ses besoins, sur les avantages réels que la société lui procure ; qu'il ose s'aimer lui-même, qu'il travaille à son propre bonheur en faisant celui des autres [1]. » Vaste programme...

Florence LOTTERIE.

Nota. Cette édition ne serait pas ce qu'elle est sans l'enthousiasme des étudiants de l'université Marc-Bloch (Strasbourg) qui, de 2004 à 2006, ont suivi un cours de licence et un séminaire de master tournant autour du roman libertin et de la question de la censure. Les échanges autour de *Thérèse philosophe* ont trouvé ici un écho. Parmi ces étudiants, auxquels je suis reconnaissante, j'ai souhaité rendre un hommage particulier à Véronique Goetsch-Lauglaney, disparue en 2006, et à laquelle ceux qui l'ont connue comprendront aisément que le présent travail soit dédié.

---

1. Paul Henri Thiry d'Holbach, *Œuvres philosophiques complètes*, II, éd. J.-P. Jackson, Alive, 1999, p. 166.

NOTE SUR L'ÉTABLISSEMENT
DU TEXTE

La réserve de la BNF permet de consulter la plus importante collection d'éditions anciennes du roman, collection dont il est cependant probable qu'elle est très incomplète. Un état en a été établi par François Moureau dans son édition[1] : on peut renvoyer à sa description de bibliographie matérielle, qui lui a permis de proposer une datation des exemplaires et de conclure à la possibilité que celui qui porte la cote ENFER-403 pourrait appartenir à l'édition originale liégeoise[2]. Contrairement à l'exemplaire coté ENFER-402, il ne comporte pas de gravures, lesquelles, au nombre de seize, auraient pu être exécutées à Paris. Nous avons regardé les deux exemplaires et choisi, à l'instar de François Moureau, ENFER-403[3], qui est d'ailleurs nettement moins fautif ; l'édition d'où procède ENFER-402[4] semble vraiment avoir été composée à la va-vite, ce qu'on peut comprendre s'il s'agit bien de l'édition « parisienne ».

L'orthographe a été modernisée. Les faits de langue ont ainsi été transformés selon l'usage moderne, tant

---

1. Voir Fr. Moureau, préface à *Thérèse philosophe*, Publications de l'université de Saint-Étienne, 2000, p. 9.

2. *Ibid.*, p. 14.

3. Un volume in-12, localisé à La Haye. Le catalogue signale comme semblable l'exemplaire coté ENFER-405, dont Fr. Moureau montre qu'il est en réalité très postérieur.

4. Deux volumes in-12, localisés à La Haye ; disponible sous forme microfilmée : MICROFILM M-5248 (2).

pour le lexique (« lasciveté », « roide », « vuide », par exemple, ont été modifiés) que pour la syntaxe, où l'on est systématiquement revenu sur le régime des accords : à l'époque classique, en effet, plusieurs sujets (coordonnés ou juxtaposés) pouvaient gouverner un verbe laissé au singulier et les règles d'accord du participe passé n'être pas respectées. Les coquilles ont été tacitement corrigées.

Typographiquement parlant, les éditions originales ne séparent pas à la façon moderne le dialogue du récit ; l'usage des paragraphes, des tirets, des guillemets ne distingue pas comme nous le faisons les interlocuteurs. Des alinéas ont donc été créés dans ces cas. Pour le reste, l'ordre et le nombre des paragraphes a été scrupuleusement respecté. Nous avons aussi tenu à maintenir autant que possible la ponctuation, en corrigeant cependant lorsque le sens pouvait devenir problématique, ou en rectifiant les emplois choquant directement les règles d'usage modernes. Par exemple, nous avons rétabli la majuscule après ponctuation forte, sauf dans le cas des incises de dialogue, supprimé la virgule avant la conjonction de coordination « et », et remplacé les points d'interrogation lorsqu'on avait affaire à des interrogatives indirectes.

Certaines interventions concernent l'usage des majuscules. Dans le cas du substantif « nature », central dans le discours philosophique matérialiste du roman, nous avons corrigé les quelques occurrences où la majuscule avait disparu. Nous avons maintenu et généralisé la majuscule lorsqu'elle concerne un titre (Abbé, Capucin, Comte, Roi, etc.) et dans les cas où le contexte les signale à l'évidence comme types satiriques, lorsqu'elle s'applique à une appartenance caractéristique de l'ordre social d'Ancien Régime (par exemple le « Financier ») ou permet de souligner l'ironie de l'appellation (par exemple l'« Oncle » ou la « Nièce » dans l'« Histoire de Madame Bois-Laurier », ou le « Directeur » de conscience, type bien attesté par la tradition des moralistes classiques). Dans ces contextes, le nom s'apparente pour ainsi dire à un

« emploi » de comédie. On a également préservé la majuscule sur des termes tels que « Démon » ou « Diable ». On pourrait d'ailleurs dire que tous ces emplois de la majuscule – sauf pour la « Nature » – sont au service de la plaisanterie irrévérencieuse [1].

On a en outre systématiquement corrigé les abréviations inélégantes « S. Esprit » et « S. François » en « Saint-Esprit » et « saint François » ; de même pour les rares cas où le texte indique « P. Dirrag » pour « Père Dirrag » ou « M. T... » pour « Monsieur T... ».

En ce qui concerne les estampes, le jeu ici utilisé est celui de l'édition « Cazin » de 1785 [2]. Plus nombreuses que dans l'édition de 1748 mentionnée plus haut (vingt et une [3] au lieu de seize), elles sont attribuées à Borel, gravées par Elluin ; leur valeur esthétique intrinsèque a motivé ce choix. En revanche, le frontispice date de 1748 : le lecteur pourra ainsi se faire une idée des caractéristiques de l'illustration qui correspond à la date de l'édition originale. Les légendes qui accompagnent les estampes sont données dans l'édition de 1785 [4].

---

1. L'ironie dépend souvent du contexte d'énonciation. Par exemple, le « Démon » est invoqué par le premier confesseur de Thérèse, dans un discours qui vise à créer l'effroi et se trouve condamné par les valeurs du roman, mais on notera que dans la scène qui suit, où la jeune fille rêve du « serpent », elle se réfère à « l'enfer » sans majuscule : n'est-ce pas parce que c'est la narratrice « dessillée » et lucide qui parle ? On tablera en tout cas, par souci de proposer un « système » d'établissement cohérent, sur cette hypothèse, tout en reconnaissant le caractère par définition aléatoire des choix typographiques des éditions de ce genre, souvent peu soignées et peu soucieuses de rigueur...

2. BNF, ENFER-406 et 407, 2 vol. in-16 (format « Cazin »).

3. En comptant le frontispice, qui n'est pas celui que nous avons choisi ici.

4. Notons que la légende du frontispice de 1748 que nous reproduisons ici est la même en 1785.

THÉRÈSE PHILOSOPHE

OU

MÉMOIRES POUR SERVIR À L'HISTOIRE DU PÈRE DIRRAG ET DE MADEMOISELLE ÉRADICE

La volupté et la philosophie font le bonheur de l'homme sensé.
Il embrasse la volupté par goût, il aime la philosophie par raison.

PREMIÈRE PARTIE

Quoi, monsieur, sérieusement vous voulez que j'écrive mon histoire, vous désirez que je vous rende compte des scènes mystiques de Mademoiselle Éradice[1] avec le très Révérend Père Dirrag ; que je vous informe des aventures de Madame C... avec l'Abbé T..., vous demandez d'une fille qui n'a jamais écrit des détails qui exigent de l'ordre dans les matières ? Vous désirez un tableau où les scènes dont je vous ai entretenu, où celles dont nous avons été acteurs ne perdent rien de leur lascivité ; que les raisonnements métaphysiques conservent toute leur énergie ? En vérité, mon cher Comte, cela me paraît au-dessus de mes forces. D'ailleurs, Éradice a été mon amie ; le Père Dirrag fut mon Directeur ; je dois des sentiments de reconnaissance à Madame C... et à l'Abbé T... Trahirai-je la confiance de gens à qui j'ai les plus grandes obligations, puisque ce sont les actions des uns et les sages réflexions des autres qui, par gradation, m'ont dessillé les yeux sur les préjugés de ma jeunesse ? Mais si l'exemple, dites-vous, et le raisonnement ont fait votre bonheur, pourquoi ne pas tâcher de contribuer à celui des autres par les mêmes voies, par l'exemple et par le raisonnement ? Pourquoi craindre d'écrire des vérités utiles au bien de la société ? Eh bien ! Mon cher bienfaiteur, je ne résiste plus : écrivons ; mon ingénuité me tiendra lieu d'un style épuré[2], chez les personnes qui pensent ; et je crains peu les sots. Non, vous n'essuierez jamais un refus de votre tendre Thérèse ; vous verrez tous les replis de son cœur dès sa plus tendre enfance ; son âme tout entière va se développer dans les détails[3] des petites aventures qui l'ont conduite, comme malgré elle, pas à pas, au comble de la volupté.

Imbéciles mortels ! Vous croyez être maîtres d'éteindre les passions que la Nature a mises dans vous, elles sont l'ouvrage de Dieu. Vous voulez les détruire, ces passions, les restreindre à de certaines bornes. Hommes insensés ! Vous prétendez donc être de seconds créateurs plus puissants que le premier ? Ne verrez-vous jamais que tout est ce qu'il doit être et que tout est bien ; que tout est de Dieu, rien de vous[4] et qu'il est aussi difficile de créer une pensée, que de créer un bras, ou un œil ?

Le cours de ma vie est une preuve incontestable de ces vérités. Dès ma plus tendre enfance, on ne m'a parlé que d'amour pour la vertu et d'horreur pour le vice. « Vous ne serez heureuse, me disait-on, qu'autant que vous pratiquerez les vertus chrétiennes et morales ; tout ce qui s'en éloigne est le vice ; le vice nous attire le mépris et le mépris engendre la honte et les remords qui en sont une suite. » Persuadée de la solidité de ces leçons, j'ai cherché de bonne foi, jusqu'à l'âge de vingt-cinq ans, à me conduire d'après ces principes : nous allons voir comment j'ai réussi.

Je suis née dans la province de Vencerop[5]. Mon père était un bon bourgeois, Négociant de …, petite ville jolie où tout inspire la joie et le plaisir ; la galanterie semble y former seule tout l'intérêt de la société. On y aime dès qu'on pense et on n'y pense que pour se faciliter les moyens de goûter les douceurs de l'amour. Ma mère, qui était de …, ajoutait à la vivacité de l'esprit des femmes de cette province, voisine de celle de Vencerop, l'heureux tempérament d'une voluptueuse Venceropale. Mon père et ma mère vivaient avec économie d'un revenu modique et du produit de leur petit commerce. Leurs travaux n'avaient pu changer l'état de leur fortune ; mon père payait une jeune veuve, marchande dans son voisinage, sa maîtresse ;

ma mère était payée par son amant, gentilhomme fort riche, qui avait la bonté d'honorer mon père de son amitié. Tout se passait avec un ordre admirable : on savait à quoi s'en tenir de part et d'autre et jamais ménage ne parut plus uni.

Après dix années écoulées dans un arrangement si louable, ma mère devint enceinte, elle accoucha de moi. Ma naissance lui laissa une incommodité qui fut peut-être plus terrible pour elle que ne l'eût été la mort même. Un effort dans l'accouchement lui causa une rupture[6] qui la mit dans la dure nécessité de renoncer pour toujours aux plaisirs qui m'avaient donné l'existence.

Tout changea de face dans la maison paternelle. Ma mère devint dévote ; le Père Gardien des Capucins remplaça les visites assidues de Monsieur le Marquis de …, qui fut congédié. Le fonds de tendresse de ma mère ne fit que changer d'objet ; elle donna à Dieu par nécessité ce qu'elle avait donné au marquis par goût et par tempérament[7].

Mon père mourut et me laissa au berceau. Ma mère, je ne sais par quelle raison, fut s'établir à Volnot[8], port de mer célèbre : de la femme la plus galante, elle était devenue la plus sage et peut-être la plus vertueuse qui fût jamais.

J'avais à peine sept ans lorsque cette tendre mère, sans cesse occupée du soin de ma santé et de mon éducation, s'aperçut que je maigrissais à vue d'œil : un habile Médecin fut appelé pour être consulté sur ma maladie : j'avais un appétit dévorant, point de fièvre ; je ne ressentais aucune douleur ; cependant ma vivacité se perdait, mes jambes pouvaient à peine me porter. Ma mère, craintive pour mes jours, ne me quitta plus et me fit coucher avec elle. Quelle fut sa surprise, lorsqu'une nuit, me croyant endormie, elle s'aperçut que j'avais la main sur la partie qui nous distingue des hommes, où par un frottement bénin, je me procurais des plaisirs peu connus d'une fille de sept ans et très communs parmi celles de quinze ! Ma mère pouvait à peine croire ce qu'elle voyait. Elle lève

doucement la couverture et le drap ; elle apporte une
lampe qui était allumée dans la chambre ; et, en femme
prudente et connaisseuse, elle attend constamment[9] le
dénouement de mon action. Il fut tel qu'il devait être ;
je m'agitai, je tressaillis et le plaisir m'éveilla. Ma mère,
dans le premier mouvement, me gronda de la bonne
sorte ; elle me demanda de qui j'avais appris les horreurs dont elle venait d'être témoin. Je lui répondis, en
pleurant, que j'ignorais en quoi j'avais pu la fâcher, que
je ne savais ce qu'elle voulait me dire par les termes
d'*attouchement*, d'*impudicité*, de *péché mortel*, dont elle se
servait. La naïveté de mes réponses la convainquit de
mon innocence et je me rendormis : nouveaux cha-
touillements de ma part, nouvelles plaintes de celle de
ma mère. Enfin, après quelques nuits d'observation
attentive, on ne douta plus que ce ne fût la force de
mon tempérament qui me faisait faire, en dormant, ce
qui sert à soulager tant de pauvres religieuses en
veillant. On prit le parti de me lier étroitement les
mains, de manière qu'il me fut impossible de continuer
mes amusements nocturnes[10].

Je recouvrai bientôt ma santé et ma première
vigueur. L'habitude se perdit, mais le tempérament
augmenta. À l'âge de neuf à dix ans, je sentais une
inquiétude, des désirs dont je ne connaissais pas le
but : nous nous assemblions souvent, de jeunes filles
et garçons de mon âge, dans un grenier ou dans
quelque chambre écartée. Là, nous jouions à de petits
jeux : un d'entre nous était élu le maître d'école, la
moindre faute était punie par le fouet. Les garçons
défaisaient leurs culottes, les filles troussaient jupes et
chemises ; on se regardait attentivement ; vous eussiez
vu cinq à six petits culs admirés, caressés et fouettés
tour à tour. Ce que nous appelions la *guigui*[11] des garçons nous servait de jouet ; nous passions et repas-
sions cent fois la main dessus, nous la prenions à
pleine main, nous en faisions des poupées, nous bai-
sions ce petit instrument, dont nous étions bien éloi-
gnés de connaître l'usage et le prix ; nos petites fesses
étaient baisées à leur tour. Il n'y avait que le centre des

*Thérèse joue à l'âge de neuf ans dans un grenier avec des garçons
et des filles de son âge : effet d'un tempérament prématuré.*

plaisirs qui était négligé ; pourquoi cet oubli ? Je
l'ignore, mais tels étaient nos jeux, la simple Nature les
dirigeait, une exacte vérité me les dicte.

Après deux années passées dans ce libertinage
innocent, ma mère me mit dans un couvent ; j'avais
alors environ onze ans. Le premier soin de la Supérieure fut de me disposer à faire ma première confes-
sion. Je me présentai à ce tribunal sans crainte, parce
que j'étais sans remords. Je débitai au vieux Gardien
des Capucins, Directeur de conscience de ma mère,
qui m'écoutait, toutes les fadaises, les peccadilles[12]
d'une fille de mon âge. Après m'être accusée des
fautes dont je me croyais coupable : « Vous serez un
jour une sainte, me dit ce bon Père, si vous continuez
de suivre, comme vous avez fait, les principes de vertu
que votre mère vous inspire ; évitez surtout d'écouter
le Démon de la chair ; je suis le Confesseur de votre
mère : elle m'avait alarmé sur le goût qu'elle vous croit
pour l'impureté, le plus infâme des vices ; je suis bien
aise qu'elle se soit trompée dans les idées qu'elle avait
conçues de la maladie que vous avez eue il y a quatre
ans ; sans ses soins, mon cher enfant, vous perdiez
votre corps et votre âme. Oui, je suis certain présentement que les attouchements dans lesquels elle vous a
surprise n'étaient pas volontaires, et je suis convaincu
qu'elle s'est trompée dans la conclusion qu'elle en a
tirée pour votre salut. »

Alarmée de ce que me disait mon Confesseur, je lui
demandai ce que j'avais donc fait qui eût pu donner à
ma mère une si mauvaise idée de moi. Il ne fit aucune
difficulté de m'apprendre, dans les termes les plus
mesurés, ce qui s'était passé et les précautions que ma
mère avait prises pour me corriger d'un défaut, dont il
était à désirer, disait-il, que je ne connusse jamais les
conséquences.

Ces réflexions m'en firent faire insensiblement[13]
sur nos amusements du grenier dont je viens de
parler. La rougeur me couvrit le visage, je baissai les
yeux comme une personne honteuse, interdite ; et je
crus apercevoir, pour la première fois, du crime dans

commence on the church

nos plaisirs. Le Père me demanda la cause de mon silence et de ma tristesse ; je lui dis tout. Quels détails n'exigea-t-il pas de moi ? Ma naïveté sur les termes, sur les attitudes et sur le genre des plaisirs dont je convenais, servit encore à le persuader de mon innocence. Il blâma ces jeux avec une prudence [14] peu commune aux Ministres de l'Église ; mais ses expressions désignèrent assez l'idée qu'il concevait de mon tempérament. Le jeûne, la prière, la méditation, le cilice, furent les armes dont il m'ordonna de combattre par la suite mes passions. « Ne portez jamais, me dit-il, la main ni même les yeux sur cette partie infâme par laquelle vous pissez, qui n'est autre chose que la pomme qui a séduit Adam et qui a opéré la condamnation du genre humain par le péché originel ; elle est habitée par le Démon ; c'est son séjour, c'est son trône ; évitez de vous laisser surprendre par cet ennemi de Dieu et des hommes. La Nature couvrira bientôt cette partie d'un vilain poil, tel que celui qui sert de couverture aux bêtes féroces, pour marquer par cette punition que la honte, l'obscurité et l'oubli doivent être son partage. Gardez-vous encore avec plus de précaution de ce morceau de chair des jeunes garçons de votre âge, qui faisait votre amusement dans ce grenier ; c'est le serpent, ma fille, qui tenta Ève, notre mère commune. Que vos regards et vos attouchements ne soient jamais souillés par cette vilaine bête, elle vous piquerait et vous dévorerait infailliblement tôt ou tard.

– Quoi ! Serait-il bien possible, mon Père, repris-je tout émue, que ce soit là un serpent et qu'il soit aussi dangereux que vous le dites ? Hélas ! Il m'a paru si doux ! Il n'a mordu aucune de mes compagnes. Je vous assure qu'il n'avait qu'une très petite bouche et point de dents, je l'ai bien vu…

– Allons, mon enfant, dit mon Confesseur en m'interrompant ; croyez ce que je vous dis ; les serpents que vous avez eu la témérité de toucher étaient encore trop jeunes, trop petits, pour opérer les maux dont ils sont capables ; mais ils s'allongeront, ils grossiront, ils s'élanceront contre vous : c'est alors que vous devez redouter l'effet du venin [15] qu'ils ont coutume de darder avec une sorte de fureur et qui empoisonnerait votre corps et votre âme. » Enfin, après quelque autre leçon de cette espèce, le bon Père me congédia en me laissant dans une étrange perplexité.

Je me retirai dans ma chambre, l'imagination frappée de ce que je venais d'entendre, mais bien plus affectée de l'idée de l'aimable serpent, que de celle des remontrances et des menaces qui m'avaient été faites à son sujet. Néanmoins j'exécutai de bonne foi ce que j'avais promis ; je résistai aux efforts de mon tempérament et je devins un exemple de vertu.

Que de combats, mon cher Comte, il m'a fallu rendre jusqu'à l'âge de vingt-cinq ans, temps auquel ma mère me retira de ce maudit couvent ! J'en avais à peine seize lorsque je tombai dans un état de langueur qui était le fruit de mes méditations ; elles m'avaient fait apercevoir sensiblement deux passions dans moi, qu'il m'était impossible de concilier. D'un côté j'aimais Dieu de bonne foi ; je désirais de tout mon cœur de le servir de la manière dont on m'assurait qu'il voulait être servi. D'autre côté je sentais des désirs violents dont je ne pouvais démêler le but. Ce serpent charmant se peignait sans cesse dans mon âme et s'y arrêtait malgré moi, soit en veillant, ou [sic] en dormant. Quelquefois, toute émue, je croyais y porter la main, je le caressais, j'admirais son air noble, altier, sa fermeté, quoique j'en ignorasse encore l'usage ; mon cœur battait avec une vitesse étonnante et dans le fort de mon extase ou de mon rêve, toujours marqué par un frémissement de volupté, je ne me connaissais presque plus : ma main se trouvait saisie de la pomme, mon doigt remplaçait le serpent. Excitée par les avant-coureurs du plaisir, j'étais incapable d'aucune autre réflexion ; l'enfer entrouvert sous mes yeux n'aurait pas eu le pouvoir de m'arrêter : remords impuissants ! Je mettais le comble à la volupté.

Que de troubles ensuite ! Le jeûne, le cilice, la méditation étaient ma ressource : je fondais en larmes.

Ces remèdes, en détraquant la machine, me guérirent à la vérité tout à coup de ma passion ; mais ils ruinèrent ensemble mon tempérament et ma santé [je tombai enfin dans un état de langueur qui me conduisait visiblement au tombeau,] lorsque ma mère me retira du couvent [16].

Répondez, Théologiens fourbes ou ignorants, qui créez nos crimes à votre gré : qui est-ce qui avait mis en moi les deux passions dont j'étais combattue, *l'amour de Dieu et celui du plaisir de la chair* ? Est-ce la Nature ou le Diable ? Optez. Mais oseriez-vous avancer que l'une ou l'autre soient plus puissants que Dieu ? S'ils lui sont subordonnés, c'est donc Dieu qui avait permis que ces passions fussent en moi ; c'était son ouvrage. Mais, répliquerez-vous, Dieu vous avait donné la raison pour vous éclairer. Oui, mais non pas pour me décider. La raison m'avait bien fait apercevoir les deux passions dont j'étais agitée : c'est par elle que j'ai conçu par la suite que tenant tout de Dieu, je tenais de lui ces passions dans toute la force où elles étaient ; mais cette même raison qui m'éclairait ne me décidait point. Dieu, cependant, continuerez-vous, vous ayant laissée maîtresse de votre volonté, vous étiez libre de vous déterminer pour le bien ou pour le mal. Pur jeu de mots. Cette volonté et cette prétendue liberté n'ont de degrés de force, n'agissent que conséquemment aux degrés de force des passions et des appétits qui nous sollicitent. Je parais, par exemple, être libre de me tuer, de me jeter par la fenêtre. Point du tout ; dès que l'envie de vivre est plus forte en moi que celle de mourir, je ne me tuerai jamais. Tel homme, direz-vous, est bien le maître de donner aux pauvres, à son indulgent Confesseur, cent louis d'or qu'il a dans sa poche. Il ne l'est point ; l'envie qu'il a de conserver son argent étant plus forte que celle d'obtenir une absolution inutile de ses péchés, il gardera nécessairement son argent. Enfin chacun peut se démontrer à soi-même que la raison ne sert qu'à faire connaître à l'homme quel est le degré d'envie qu'il a de faire ou d'éviter telle ou telle chose, combiné avec le plaisir et le déplaisir qui doivent lui en revenir[17]. De cette connaissance acquise par la raison, il résulte ce que nous appelons *la volonté et la détermination*. Mais cette volonté et cette détermination sont aussi parfaitement soumises aux degrés de passion ou de désir qui nous agitent, qu'un poids de quatre livres détermine nécessairement le côté d'une balance qui n'a que deux livres à soulever dans son autre bassin.

Mais, me dira un raisonneur qui n'aperçoit que l'écorce : ne suis-je pas libre de boire à mon dîner une bouteille de vin de Bourgogne ou une de Champagne ? Ne suis-je pas maître de choisir pour ma promenade la grande allée des Tuileries, ou la terrasse des Feuillants[18] ?

Je conviens que dans tous les cas où l'âme est dans une indifférence parfaite sur sa détermination, que dans les circonstances où les désirs de faire telle ou telle chose sont dans une balance égale, dans un juste équilibre, nous ne pouvons pas apercevoir ce défaut de liberté : c'est un lointain dans lequel nous ne discernons plus les objets ; mais rapprochons-les un peu, ces objets, nous apercevrons bientôt distinctement le mécanisme des actions de notre vie, et dès que nous en connaîtrons une, nous les connaîtrons toutes, puisque la Nature n'agit que par un même principe.

Notre raisonneur se met à table, on lui sert des huîtres : ce mets le détermine pour le vin de Champagne. Mais, dira-t-on, il était libre de choisir le Bourgogne. Je dis que non : il est bien vrai qu'un autre motif, qu'une autre envie plus puissante que la première, pouvait le déterminer à boire de ce dernier vin ; eh bien, en ce cas cette dernière envie aurait également contraint sa prétendue liberté.

Notre même raisonneur, en entrant aux Tuileries, aperçoit une jolie femme de sa connaissance sur la terrasse des Feuillants ; il se détermine à la joindre, à moins que quelque autre raison d'intérêt ou de plaisir ne le conduise dans la grande allée. Mais quelque côté qu'il choisisse, ce sera toujours une raison, un désir qui le décidera invinciblement à prendre l'un ou l'autre parti qui contiendra sa volonté.

Pour admettre que l'homme fût libre, il faudrait supposer qu'il se déterminât par lui-même : mais s'il est déterminé par les degrés de passion, dont la Nature et les sensations l'affectent, il n'est pas libre ; un degré de désir plus ou moins vif le décide aussi invinciblement, qu'un poids de quatre livres en entraîne un de trois.

Je demande encore à mon dialogueur, qu'il me dise qu'est-ce qui l'empêche [sic] de penser comme moi sur la matière dont il s'agit ici et pourquoi je ne peux pas me déterminer à penser comme lui sur cette même matière. Il me répondra sans doute que ses idées, ses notions, ses sensations le contraignent de penser comme il fait. Mais de cette réflexion, qui lui démontre intérieurement qu'il n'est pas maître d'avoir la volonté de penser comme moi, ni moi celle de penser comme lui, il faut bien qu'il convienne que nous ne sommes pas libres de penser de telle ou telle manière [19]. Or si nous ne sommes pas libres de penser, comment serions-nous libres d'agir, puisque la pensée est la cause et que l'action n'est que l'effet ? Et peut-il résulter un effet *libre* d'une cause qui n'est *pas libre* ? Cela implique contradiction.

Pour achever de nous convaincre de cette vérité, aidons-nous du flambeau de l'expérience [20]. Grégoire, Damon et Philinte sont trois frères, qui ont été élevés par les mêmes maîtres jusqu'à l'âge de vingt-cinq ans. Ils ne se sont jamais quittés ; ils ont reçu la même éducation, les mêmes leçons de morale, de religion. Cependant Grégoire aime le vin ; Damon aime les femmes ; Philinte est dévot. Qui est-ce qui a déterminé les trois différentes volontés de ces trois frères ? Ce ne peut être ni l'acquis, ni la connaissance du bien et du mal moral, puisqu'ils n'ont reçu que les mêmes préceptes par les mêmes maîtres ; chacun d'eux avait donc en lui différents principes, différentes passions qui ont décidé ces diverses volontés, malgré l'uniformité des connaissances acquises [21]. Je dis plus : Gré-

goire, qui aimait le vin, était le plus honnête homme,
le plus sociable, le meilleur ami lorsqu'il n'avait pas
bu ; mais dès qu'il avait goûté de cette liqueur enchan-
teresse, il devenait médisant, calomniateur, querelleur,
il se serait coupé la gorge par goût avec son meilleur
ami. Or, Grégoire était-il maître de ce changement de
volonté qui se faisait tout à coup dans lui ? Non certainement, puisque de sang-froid il détestait les
actions qu'il avait été forcé de commettre dans le vin.
Quelques sots cependant admiraient l'esprit de continence dans Grégoire qui n'aimait point les femmes ; la
sobriété de Damon qui n'aimait point le vin ; et la
piété de Philinte qui n'aimait ni les femmes ni le vin,
mais qui jouissait du même plaisir que les deux premiers par son goût pour la dévotion. C'est ainsi que la
plupart des hommes sont dupes de l'idée qu'ils ont
des vices et des vertus humaines.

Concluons. L'arrangement des organes, les dispositions des fibres, un certain mouvement des liqueurs,
donnent le genre des passions, les degrés de force
dont elles nous agitent, contraignent la raison, déterminent la volonté dans les plus petites comme dans les
plus grandes actions de notre vie. C'est ce qui fait
l'homme passionné, l'homme sage, l'homme fou. Le
fou n'est pas moins libre que les deux premiers,
puisqu'il agit par les mêmes principes ; la Nature est
uniforme. Supposer que l'homme est libre et qu'il se
détermine par lui-même, c'est le faire égal à Dieu[22].

Revenons à ce qui me regarde. J'ai dit qu'à vingt-
cinq ans ma mère me retira presque mourante du couvent où j'étais. Toute la machine languissait, mon teint
était jaune, mes lèvres livides ; je ressemblais à un
squelette vivant[23]. Enfin la dévotion allait me rendre
homicide de moi-même, lorsque je rentrai dans la
maison de ma mère. Un habile Médecin envoyé de sa
part à mon couvent avait connu d'abord[24] le principe
de ma maladie. Cette liqueur divine qui nous procure
le seul plaisir physique, le seul qui se goûte sans amer-
tume, cette liqueur, dis-je, dont l'écoulement est aussi
nécessaire à certains tempéraments que celui qui

résulte des aliments qui nous nourrissent, avait reflué des vaisseaux qui lui sont propres dans d'autres qui lui étaient étrangers ; ce qui avait jeté le désordre dans toute la machine.

On conseilla à ma mère de me chercher un mari, comme le seul remède qui pût me sauver la vie. Elle m'en parla avec douceur ; mais infatuée que j'étais de mes préjugés, je lui répondis sans ménagement que j'aimais mieux mourir que de déplaire à Dieu, par un état aussi méprisable, qu'il ne tolérait que par un effet de sa grande bonté. Tout ce qu'elle put me dire ne m'ébranla point, la nature affaiblie ne me laissait aucune espèce de désirs pour ce monde, je n'envisageais que le bonheur qu'on m'avait promis dans l'autre.

Je continuais donc mes exercices de piété avec toute la ferveur imaginable. On m'avait beaucoup parlé du fameux Père Dirrag ; je voulus le voir ; il devint mon Directeur ; et Mademoiselle Éradice, sa plus tendre Pénitente, fut bientôt ma meilleure amie.

Vous connaissez, mon cher Comte, l'histoire de ces deux célèbres personnages ; je n'entreprendrai point de vous répéter tout ce que le public en sait et en a dit ; mais un trait singulier, dont j'ai été témoin, pourra vous amuser et servir à vous convaincre que, s'il est vrai que Mademoiselle Éradice se soit enfin livrée avec connaissance de cause aux embrassements de ce Cafard [25], il est du moins certain qu'elle a été longtemps la dupe de sa sainte lubricité.

Mademoiselle Éradice avait pris pour moi l'amitié la plus tendre, elle me confiait ses plus secrètes pensées ; la conformité d'humeur, de pratique de piété, peut-être même de tempérament, qui était entre nous, nous rendait inséparables. Toutes deux vertueuses, notre passion dominante était d'avoir la réputation d'être saintes, avec une envie démesurée de parvenir à faire des miracles. Cette passion la dominait si puissamment, qu'elle eût souffert, avec une constance digne des martyrs, tous les tourments imaginables, si on lui eût persuadé qu'ils pouvaient lui faire ressusciter un second Lazare[26] ; et le Père Dirrag avait, par-dessus tout, le talent de lui faire croire tout ce qu'il voulait.

Éradice m'avait dit plusieurs fois, avec une sorte de vanité, que ce Père ne se communiquait tout entier qu'à elle seule ; que dans les entretiens particuliers qu'ils avaient souvent ensemble chez elle, il l'avait assurée qu'elle n'avait plus que quelques pas à faire pour parvenir à la sainteté ; que Dieu le lui avait ainsi révélé dans un songe, par lequel il avait connu claire-ment qu'elle était à la veille d'opérer les plus grands miracles, si elle continuait de se laisser conduire par les degrés de vertu et de mortification nécessaires.

La jalousie et l'envie sont de tous les états, celui de Dévote en est peut-être le plus susceptible.

Éradice s'aperçut que j'étais jalouse de son bonheur et que même je paraissais ne pas ajouter foi à ce qu'elle me disait. Effectivement je lui témoignai d'autant plus de surprise de ce qu'elle m'apprenait, de ses entretiens particuliers avec le Père Dirrag, qu'il avait toujours éludé d'en avoir de semblables avec moi dans la maison d'une de ses Pénitentes mon amie, qui était stigmatisée ainsi qu'Éradice. Sans doute que ma triste figure et que mon teint jaunâtre n'avaient pas paru au Révérend Père être pour lui un restaurant propre à exciter le goût nécessaire à ses travaux spiri-tuels. J'étais piquée au jeu, point de stigmates ! Point d'entretien particulier pour moi ! Mon humeur perça, j'affectai de paraître ne rien croire. Éradice d'un air ému m'offrit de me rendre dès le lendemain matin témoin oculaire de son bonheur. « Vous verrez, me dit-elle avec feu, quelle est la force de mes exercices spirituels[27] et par quels degrés de pénitence le bon Père me conduit à devenir une grande sainte ; et vous ne douterez plus des extases, des ravissements, qui sont une suite de ces mêmes exercices. Que mon exemple, ma chère Thérèse, ajouta-t-elle en se radou-cissant, ne peut-il opérer dans vous, pour premier miracle, la force de détacher entièrement votre esprit de la matière par la grande vertu de la méditation, pour ne le mettre qu'en Dieu seul ! »

Je me rendis le lendemain à cinq heures du matin chez Éradice, comme nous en étions convenues. Je la trouvai en prières, un livre à la main. « Le saint homme va venir, me dit-elle, et Dieu avec lui ; cachez-vous dans ce petit cabinet, d'où vous pourrez entendre et voir jusqu'où la bonté divine veut bien s'étendre en faveur de sa vile créature, par les soins pieux de notre Directeur. » Un instant après on frappa doucement à la porte. Je me sauvai dans le cabinet dont Éradice prit la clef. [Un trou large comme la main, qui était dans la porte de ce cabinet, couverte d'une vieille tapisserie de Bergame très claire, me laissait voir librement la chambre en son entier, sans risquer d'être aperçue [28].] Voyeurism

Le bon Père entra. « Bonjour, ma chère sœur en Dieu ! lui dit-il. Que le Saint-Esprit et saint François soient avec vous ! » Elle voulut se jeter à ses pieds, mais il la releva et la fit asseoir auprès de lui. « Il est nécessaire, lui dit le saint homme, que je vous répète les principes sur lesquels vous devez vous guider dans toutes les actions de votre vie ; mais parlez-moi auparavant de vos stigmates : celui que vous avez sur la poitrine est-il toujours dans le même état ? Voyons un peu. »

Éradice se mit d'abord en devoir de découvrir son téton gauche, au-dessous duquel il était. « Ah ! Ma sœur ! Arrêtez, lui dit le Père, arrêtez : couvrez votre sein avec ce mouchoir (il lui en tendait un) [29] ; de pareilles choses ne sont pas faites pour un membre de notre société : il suffira que je voie la plaie que saint François y a imprimée ; ah ! Elle subsiste. Bon, dit-il, je suis content ! Saint François vous aime toujours ; la plaie est vermeille et pure ; j'ai eu soin d'apporter encore avec moi le saint morceau de son cordon [30] ; nous en aurons besoin à la suite de nos exercices. Je vous ai déjà dit, ma sœur, continua-t-il, que je vous distinguais de toutes mes Pénitentes vos compagnes, parce que je vois que Dieu vous distingue lui-même de son saint troupeau [31], comme le Soleil est distingué de la Lune et des autres planètes. C'est pour cette

raison que je n'ai pas craint de vous révéler ses mystères les plus cachés. Je vous l'ai dit, ma chère sœur,
oubliez-vous et laissez faire. Dieu ne veut des hommes
que le cœur et l'esprit. C'est en oubliant le corps
qu'on parvient à s'unir à Dieu, à devenir sainte, à
opérer des miracles. Je ne puis vous dissimuler, mon
petit ange, que, dans notre dernier exercice, je me suis
aperçu que votre esprit tenait encore à la chair. Quoi !
Ne pouvez-vous imiter en partie ces bienheureux
Martyrs qui ont été flagellés, tenaillés, rôtis, sans souffrir la moindre douleur, parce que leur imagination
était tellement occupée de la gloire de Dieu qu'il n'y
avait dans eux aucune particule d'esprit qui ne fût
employée à cet objet ? C'est un mécanisme certain,
ma chère fille ; nous sentons, et nous n'avons d'idées
du bien et du mal physique, comme du bien et du mal
moral, que par la voie des sens. Dès que nous tou-
chons, que nous entendons, que nous voyons, etc., un
objet, des particules d'esprit se coulent dans les petites
cavités des nerfs qui vont en avertir l'âme [32]. Si vous
avez assez de ferveur pour rassembler, par la force de
la méditation sur l'amour que vous devez à Dieu,
toutes les particules d'esprit qui sont en vous, en les
appliquant toutes à cet objet, il est certain qu'il n'en
restera aucune pour avertir l'âme des coups que votre
chair recevra ; vous ne les sentirez pas. Voyez ce
chasseur : l'imagination remplie du plaisir de forcer le
gibier qu'il poursuit, il ne sent ni les ronces, ni les
épines dont il est déchiré en perçant les forêts. Plus
faible que lui, dans un objet mille fois plus intéressant,
sentirez-vous de faibles coups de discipline, si votre
âme est fermement occupée du bonheur qui vous
attend ? Telle est la pierre de touche qui nous conduit
à faire des miracles ; tel doit être l'état de perfection
qui nous unit à Dieu. Nous allons commencer, ma
chère fille : remplissez bien vos devoirs, et soyez sûre
qu'avec l'aide du cordon de saint François et votre
méditation, ce pieux exercice finira par un torrent de
délices inexprimables. Mettez-vous à genoux, mon
enfant, et découvrez ces parties de la chair qui sont les

motifs de colère de Dieu : la mortification qu'elles éprouveront unira intimement votre esprit à lui. Je vous le répète *oubliez-vous et laissez faire.* »

Mademoiselle Éradice obéit aussitôt sans répliquer. Elle se mit à genoux sur un prie-Dieu, un livre devant elle ; puis levant ses jupes et sa chemise jusqu'à la ceinture, elle laissa voir deux fesses blanches comme la neige et d'un ovale parfait, soutenues de deux cuisses d'une proportion admirable. « Levez plus haut votre chemise, lui dit-il, elle n'est pas bien ; là, c'est ainsi. Joignez présentement les mains et élevez votre âme à Dieu : remplissez votre esprit de l'idée du bonheur éternel qui vous est promis. » Alors le Père approcha un tabouret sur lequel il se mit à genoux derrière et un peu à côté d'elle. Sous sa robe, qu'il releva et qu'il passa dans sa ceinture, était une grosse et longue poignée de verges, qu'il présenta à baiser à sa Pénitente [33].

Attentive à l'événement de cette scène, j'étais remplie d'une sainte horreur ; je sentais une sorte de frémissement que je ne puis décrire. Éradice ne disait mot. Le Père parcourait, avec des yeux pleins de feu, les fesses qui lui servaient de perspective ; et comme il avait ses regards fixés sur elles, j'entr'ouis qu'il disait à basse voix, d'un ton d'admiration : « Ah ! La belle gorge ! Quels tétons charmants ! » Puis il se baissait, se relevait par intervalles en marmottant quelques versets : rien n'échappait à sa lubricité. Après quelques minutes, il demanda à sa Pénitente si son âme était entrée en contemplation.

« Oui, mon très Révérend Père, lui dit-elle ; je sens que mon esprit se détache de la chair et je vous supplie de commencer le saint œuvre.

– Cela suffit, reprit le Père, votre esprit va être content. »

Il récita encore quelques prières ; et la cérémonie commença par trois coups de verges qu'il lui appliqua assez légèrement sur le derrière. Ces trois coups furent suivis d'un verset qu'il récita et successivement de trois autres coups de verges un peu plus forts que

les premiers. Après cinq à six versets récités et inter-
rompus par cette sorte de diversion, quelle fut ma surprise, lorsque je vis le Père Dirrag, déboutonnant sa
culotte, donner l'essor à un trait enflammé qui était
semblable à ce serpent fatal qui m'avait attiré les
reproches de mon ancien Directeur ! Ce monstre avait
acquis la longueur, la grosseur et la fermeté prédites
par le Capucin ; il me faisait frissonner. Sa tête
rubiconde[34] paraissait menacer les fesses d'Éradice
qui étaient devenues du plus bel incarnat : le visage du
Père était tout en feu. « Vous devez être présentement,
dit-il, dans l'état le plus parfait de contemplation :
votre âme doit être détachée des sens. Si ma fille ne
trompe pas mes saintes espérances, elle ne voit plus,
n'entend plus, ne sent plus. » Dans ce moment, ce
bourreau fit tomber une grêle de coups sur toutes les
parties du corps d'Éradice qui étaient à découvert.
Cependant elle ne disait mot, elle semblait être immobile, insensible à ces terribles coups ; et je ne distinguais
simplement dans elle qu'un mouvement convulsif de
ses deux fesses, qui se serraient et se desserraient à
chaque instant. « Je suis content de vous », lui dit-il,
après un quart d'heure de cette cruelle discipline. « Il
est temps que vous commenciez à jouir du fruit de vos
saints travaux : ne m'écoutez pas, ma chère fille, mais
laissez-vous conduire : prosternez votre face contre
terre ; je vais, avec le vénérable cordon de saint François, chasser tout ce qui reste d'impur au-dedans de
vous. »

Le bon Père la plaça en effet dans une attitude
humiliante à la vérité, mais aussi la plus commode à
ses desseins. Jamais on ne l'a présenté plus beau ; ses
fesses étaient entrouvertes et on découvrait en entier la
double route des plaisirs.

Après un instant de contemplation de la part du
Cafard, il humecta de salive ce qu'il appelait le *cordon*
et en proférant quelques paroles, d'un ton qui sentait
l'exorcisme d'un Prêtre qui travaille à chasser le
Diable du corps d'un Démoniaque, Sa Révérence
commença son intromission.

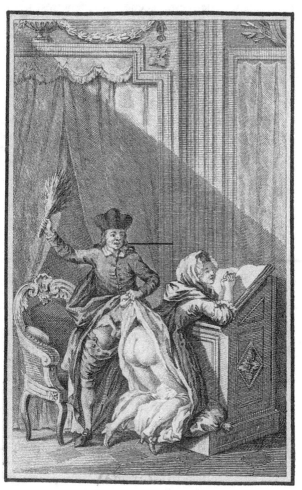

Le voluptueux Père Dirrag fouette sa pénitente.

J'étais placée de manière à ne pas perdre la moindre circonstance de cette scène ; les fenêtres de la chambre où elle se passait faisaient face à la porte du cabinet dans lequel j'étais renfermée. Éradice venait d'être placée à genoux sur le plancher, les bras croisés sur le marchepied de son prie-Dieu et la tête appuyée sur ses bras. Sa chemise, soigneusement relevée jusqu'à la ceinture, me laissait voir à demi-profil des fesses et une chute de reins admirables. Cette luxurieuse perspective fixait l'attention du très Révérend Père, qui s'était mis lui-même à genoux, les jambes de sa Pénitente placées entre les siennes, ses culottes basses, son terrible cordon à la main, marmottant quelques mots mal articulés. Il resta pendant quelques instants dans cette édifiante attitude, parcourant l'autel avec des regards enflammés et paraissant indécis sur la nature du sacrifice qu'il allait offrir. Deux embouchures se présentaient, il les dévorait des yeux, embarrassé sur le choix : l'une était un friand morceau pour un homme de sa robe [35] ; mais il avait promis du plaisir, de l'extase à sa Pénitente ; comment faire ? Il osa diriger plusieurs fois la tête de son instrument sur la porte favorite à laquelle il heurtait légèrement ; mais enfin la prudence l'emporta sur le goût. Je lui dois cette justice, je vis distinctement le rubicond Priape de Sa Révérence enfiler la route canonique [36], après en avoir entrouvert délicatement les lèvres vermeilles avec le pouce et l'index de chaque main. Ce travail fut d'abord entamé par trois vigoureuses secousses qui en firent entrer près de moitié ; alors, tout à coup, la tranquillité apparente du Père se changea en une espèce de fureur. Quelle physionomie ! Ah, Dieu ! Figurez-vous un satyre les lèvres chargées d'écume, la bouche béante, grinçant parfois des dents, soufflant comme un taureau qui mugit ; ses narines étaient enflées et agitées ; il soutenait ses mains élevées à quatre doigts de la croupe d'Éradice, sur laquelle on voyait qu'il n'osait les appliquer pour y prendre un point d'appui ; ses doigts écartés étaient en convulsion et se formaient en patte de chapon rôti.

Il sort le prétendu cordon de saint François.

Sa tête était baissée ; et ses yeux étincelants restaient fixés sur le travail de la cheville ouvrière, dont il compassait[37] les allées et les venues, de manière que, dans le mouvement de rétroaction, elle ne sortît pas de son fourreau et que dans celui d'impulsion son ventre n'appuyât pas aux fesses de la Pénitente, laquelle par réflexion aurait pu deviner où tenait le prétendu cordon. Quelle présence d'esprit ! Je vis qu'environ la longueur d'un travers de pouce du saint instrument fut constamment réservée au-dehors et n'eut point de part à la fête. Je vis qu'à chaque mouvement que le croupion du Père faisait en arrière, par lequel le cordon se retirait de son gîte jusqu'à la tête, les lèvres de la partie d'Éradice s'entrouvraient et paraissaient d'un incarnat si vif, qu'elles charmaient la vue. Je vis que, lorsque le Père, par un mouvement opposé, poussait en avant, ces mêmes lèvres, dont on ne voyait plus alors que le petit poil noir qui les couvrait, serraient si exactement la flèche qui y semblait comme engloutie, qu'il eût été difficile de deviner auquel des deux acteurs appartenait cette cheville, par laquelle ils paraissaient l'un et l'autre également attachés.

Quelle mécanique ! Quel spectacle, mon cher Comte, pour une fille de mon âge, qui n'avait aucune connaissance de ce genre de mystère ! Que d'idées différentes me passèrent dans l'esprit, sans pouvoir me fixer à aucune ! Il me souvient seulement que vingt fois je fus sur le point de m'aller jeter aux genoux de ce célèbre Directeur, pour le conjurer de me traiter comme mon amie. Était-ce mouvement de dévotion ? Était-ce mouvement de concupiscence ? C'est ce qu'il m'est encore impossible de pouvoir bien démêler.

Revenons à nos Acolytes. Les mouvements du Père s'accélérèrent ; il avait peine à garder l'équilibre. Sa posture était telle, qu'il formait à peu près, de la tête aux genoux, un S dont le ventre allait et venait horizontalement aux fesses d'Éradice. La partie de celle-ci qui servait de canal à la cheville ouvrière dirigeait tout le travail ; et deux énormes verrues, qui pendaient

Il en jouit : propriétés du cordon de saint François.

entre les cuisses de Sa Révérence, semblaient en être comme les témoins.

« Votre esprit est-il content, ma petite sainte ? dit-il en poussant une sorte de soupir. Pour moi, je vois les Cieux ouverts, la grâce suffisante[38] me transporte : je...

– Ah ! Mon Père ! s'écria Éradice. Quel plaisir m'aiguillonne ! Oui, je jouis du bonheur céleste ; je sens que mon esprit est complètement détaché de la matière : chassez, mon Père, chassez tout ce qui reste d'impur dans moi. Je vois... les... An... ges ; poussez plus avant... poussez donc... Ah !... Ah !... bon... saint François ! Ne m'abandonnez pas ; je sens le cor... le cor... le cordon... je n'en puis plus... je me meurs. »

Le Père, qui sentait également les approches du souverain plaisir, bégayait, poussait, soufflait, haletait. Enfin, les dernières paroles d'Éradice furent le signal de sa retraite ; et je vis le fier serpent devenu humble, rampant, sortir couvert d'écume de son étui.

Tout fut promptement remis dans sa place, et le Père, en laissant tomber sa robe, gagna à pas chancelants le prie-Dieu qu'Éradice avait quitté. Là, feignant de se mettre en oraison, il ordonna à sa Pénitente de se lever, de se couvrir, puis de venir se joindre à lui, pour remercier le Seigneur des faveurs qu'elle venait d'en recevoir.

Que vous dirai-je enfin, mon cher Comte ? Dirrag sortit ; et Éradice, qui m'ouvrit la porte du cabinet, me sauta au cou en m'abordant. « Ah ! Ma chère Thérèse, me dit-elle, prends part à ma félicité : oui, j'ai vu le Paradis ouvert, j'ai participé au bonheur des Anges. Que de plaisirs, mon amie, pour un moment de peine ! Par la vertu du saint cordon, mon âme était presque détachée de la matière. Tu as pu voir par où notre bon Directeur l'a introduit dans moi. Eh bien ! Je t'assure que je l'ai senti pénétrer jusqu'à mon cœur ; un degré de ferveur de plus, n'en doute point, je passais à jamais dans le séjour des Bienheureux. »

Éradice me tint mille autres discours avec un ton, avec une vivacité, qui ne purent me laisser douter de la réalité du bonheur suprême dont elle avait joui. J'étais si émue, qu'à peine lui répondis-je pour la féliciter ; mon cœur étant dans la plus vive agitation, je l'embrassai et je sortis.

Que de réflexions sur l'abus qui se fait des choses les plus respectables établies dans la société ! Avec quel art ce Pénaillon [39] conduit sa Pénitente à ses fins impudiques ! Il lui échauffe l'imagination sur l'envie d'être sainte ; il lui persuade qu'on n'y parvient qu'en détachant l'esprit de la chair. De là il la conduit à la nécessité d'en faire l'épreuve par une vigoureuse discipline : cérémonie qui était sans doute un restaurant [40] du goût du Cafard, propre à réveiller l'élasticité usée de son nerf érecteur. «Vous ne devez rien sentir, lui dit-il, rien voir, rien entendre, si votre contemplation est parfaite. » Par ce moyen il s'assure qu'elle ne tournera pas la tête, qu'elle ne verra rien de son impudicité. Les coups de fouet qu'il lui applique sur les fesses attirent les esprits dans le quartier qu'il doit attaquer ; ils l'échauffent ; et enfin la ressource qu'il s'est préparée par le cordon de saint François, qui par son intromission doit chasser tout ce qui reste d'impur dans le corps de sa Pénitente, le fait jouir sans crainte des faveurs de sa docile Prosélyte ; elle croit tomber dans une extase divine, purement spirituelle [41], lorsqu'elle jouit des plaisirs de la chair les plus voluptueux.

Toute l'Europe a su l'aventure du Père Dirrag et de Mademoiselle Éradice ; tout le monde en a raisonné ; mais peu de personnes ont connu réellement le fond de cette histoire, qui était devenue une affaire de parti entre les M… et les J… [42]. Je ne répéterai point ici ce qui en a été dit ; toutes les procédures vous sont connues, vous avez vu les *factums*, les écrits qui ont paru de part et d'autre ; et vous savez quelle en a été la suite. Voici le peu que j'en sais par moi-même, au-delà du fait dont je viens de vous rendre compte.

Mademoiselle Éradice est à peu près de mon âge. Elle est née à Volnot, fille d'un marchand auprès duquel ma mère se logea lorsqu'elle alla s'établir dans cette ville. Sa taille est bien prise ; sa peau d'une beauté singulière, blanche à ravir ; ses cheveux noirs comme jais ; de très beaux yeux ; un air de Vierge. Nous avons été amies dans l'enfance ; mais lorsque je fus mise au couvent, je la perdis de vue. Sa passion dominante était de se distinguer de ses compagnes, de faire parler d'elle. Cette passion, jointe à un grand fonds de tendresse, lui fit choisir le parti de la dévotion comme le plus propre à son projet. Elle aima Dieu comme on aime son amant. Dans le temps que je la retrouvai Pénitente du Père Dirrag, elle ne parlait que de méditation, de contemplation, d'oraisons ; c'était alors le style de la gent mystique de la ville et même de la province. Ses manières modestes lui avaient acquis depuis longtemps la réputation d'une haute vertu. Éradice avait de l'esprit ; mais elle ne l'appliquait qu'à parvenir à satisfaire l'envie démesurée qu'elle avait de faire des miracles ; tout ce qui flattait cette passion devenait pour elle une vérité incontestable. Tels sont les faibles humains : la passion dominante dont chacun d'eux est affecté absorbe toujours toutes les autres : ils n'agissent qu'en conséquence de cette passion ; elle les empêche[43] d'apercevoir les notions les plus claires qui devraient servir à la détruire.

Le Père Dirrag était né à Lôde[44]. Lors de son aventure il avait environ cinquante-trois ans[45] ; son visage était tel que celui que nos peintres donnent aux satyres. Quoique excessivement laid, il avait quelque chose de spirituel dans la physionomie. La paillardise, l'impudicité étaient peintes dans ses yeux : dans ses actions, il ne paraissait occupé que du salut des âmes et de la gloire de Dieu[46]. Il avait beaucoup de talent pour la chaire ; ses exhortations, ses discours étaient pleins de douceur, d'onction[47]. Il avait l'art de persuader. Né avec beaucoup d'esprit, il l'employait tout entier à acquérir la réputation de *Convertisseur*[48] ; et en effet un nombre considérable de femmes et de filles du monde ont embrassé le parti de la pénitence sous sa direction.

On voit que la ressemblance des caractères et des vues de ce Père et de Mademoiselle Éradice suffisait pour les unir. Aussi, dès que le premier parut à Volnot où sa réputation était déjà parvenue avant lui, Éradice se jeta, pour ainsi dire, dans ses bras. À peine se connurent-ils qu'ils se regardèrent mutuellement comme des sujets propres à augmenter leur gloire réciproque. Éradice était certainement d'abord dans la bonne foi ; mais Dirrag savait à quoi s'en tenir : l'aimable figure de sa nouvelle Pénitente l'avait séduit ; et il entrevit qu'il séduirait à son tour et tromperait facilement un cœur flexible, tendre, rempli de préjugés, un esprit qui recevait avec la docilité et la persuasion les plus entières le ridicule des insinuations et des exhortations mystiques. De là il forma son plan tel que je l'ai peint plus haut. Les premières branches de ce plan lui assuraient bien de l'amusement voluptueux de la fustigation et il y avait quelque temps que le bon Père en usait avec quelques autres de ses Pénitentes : c'était jusqu'alors à quoi s'étaient bornés ses plaisirs libidineux avec elles, mais la fermeté, le contour, la blancheur des fesses d'Éradice avaient tellement échauffé son imagination, qu'il résolut de franchir le pas. Les grands hommes percent à travers les plus grands obstacles : celui-ci imagina donc l'introduction d'un morceau du cordon de saint François, relique qui par son intromission devait chasser tout ce qui resterait d'impur et de charnel dans sa Pénitente, et la conduire à l'extase. Ce fut alors qu'il imagina les stigmates imités de ceux de saint François. Il fit venir secrètement à Volnot une de ses anciennes Pénitentes qui avait toute sa confiance et qui remplissait ci-devant avec connaissance de cause les fonctions qu'il destinait intérieurement à Éradice. Il trouvait celle-ci trop jeune et trop enthousiasmée de l'envie de faire des miracles pour aventurer de la rendre dépositaire de son secret.

La vieille Pénitente arriva et fit bientôt connaissance de dévotion avec Éradice, à qui elle tâcha d'en insinuer une particulière pour saint François, son Patron. On composa une eau qui devait opérer des plaies imitées des stigmates ; et le Jeudi saint, sous le prétexte de la Cène, la vieille Pénitente lava les pieds d'Éradice et y appliqua de cette eau, qui fit son effet.

Éradice confia deux jours après à la vieille qu'elle avait une blessure sur chaque pied. « Quel bonheur ! Quelle gloire pour vous ! s'écria celle-ci. Saint François vous a communiqué ses stigmates : Dieu veut faire de vous la plus grande sainte. Voyons si, comme votre grand Patron, votre côté ne sera pas aussi stigmatisé. » Elle porta de suite la main sous le téton gauche d'Éradice, où elle appliqua pareillement de son eau : le lendemain, nouveau stigmate.

Éradice ne manqua pas de parler de ce miracle à son Directeur qui, craignant l'éclat, lui recommanda l'humilité et le secret. Ce fut inutilement ; la passion dominante de celle-ci étant la vanité de paraître sainte, sa joie perça : elle fit des confidences, ses stigmates firent du bruit, et toutes les Pénitentes du Père voulurent être stigmatisées.

Dirrag sentit qu'il était nécessaire de soutenir sa réputation, mais en même temps de tâcher de faire une diversion qui empêchât les yeux du Public de rester fixés sur la seule Éradice. Quelques autres Pénitentes furent donc aussi stigmatisées par les mêmes moyens : tout réussit.

Éradice cependant se voua à saint François ; son Directeur l'assura qu'il avait lui-même la plus grande confiance en son intercession ; il ajouta qu'il avait opéré nombre de miracles par le moyen d'un grand morceau du cordon de ce saint, qu'un Père de la Société[49] lui avait rapporté de Rome et qu'il avait chassé, par la vertu de cette relique, le Diable du corps de plusieurs Démoniaques, en l'introduisant dans leur bouche, ou dans quelque autre conduit de la Nature, suivant l'exigence des cas. Il lui montra enfin ce prétendu cordon, qui n'était autre chose qu'un assez gros morceau de corde de huit pouces de longueur[50], enduit d'un mastic qui le rendait dur et uni. Il était recouvert proprement d'un étui de velours cramoisi qui lui servait de fourreau ; en un mot, c'était un de ces meubles de religieuses que l'on nomme *godemi-chés.* Sans doute que Dirrag tenait ce présent de quelque vieille Abbesse, de qui il l'avait exigé[51]. Quoi qu'il en soit, Éradice eut bien de la peine d'obtenir la permission de baiser humblement cette relique, que le Père assurait ne pouvoir être touchée sans crime par des mains profanes.

Ce fut ainsi, mon cher Comte, que le Père Dirrag conduisit par degrés sa nouvelle Pénitente à souffrir pendant plusieurs mois ses impudiques embrasse-ments, lorsqu'elle ne croyait jouir que d'un bonheur purement spirituel et céleste.

C'est d'elle que j'ai su toutes ces circonstances, quelque temps après le jugement de son procès. Elle me confia que ce fut un certain Moine (qui a joué un grand rôle dans cette affaire) qui lui dessilla les yeux[52]. Il était jeune, beau, bien fait, passionnément amoureux d'elle, ami de son père et de sa mère, chez qui ils mangeaient souvent ensemble. Il s'attira sa confiance ; il démasqua l'impudique Dirrag ; et je compris sensiblement, à travers tout ce qu'elle me dit, qu'elle se livra alors de bonne foi aux embrassements du luxurieux Moine : j'entrevis même que celui-ci n'avait pas démenti la réputation de son Ordre et par une heureuse conformation, comme par des leçons redoublées, il dédommagea amplement sa nouvelle Prosélyte du sacrifice qu'elle lui fit des supercheries hebdomadaires de son vieux Druide.

Dès qu'Éradice eut reconnu l'illusion du feint cordon de Dirrag par l'application amiable du membre naturel du Moine, l'élégance de cette démonstration lui fit sentir qu'elle avait été grossière-ment dupée. Sa vanité se trouva blessée et la ven-geance la porta à tous les excès que vous avez connus, de concert avec le fier Moine qui, outre l'esprit de parti qui l'animait, était encore jaloux des faveurs que

Dirrag avait surprises à son amante. Ses charmes étaient un bien qu'il croyait créé pour lui seul, c'était un vol manifeste qu'il prétendait lui avoir été fait, dont il se flattait d'obtenir une punition exemplaire ; la grillade seule de son rival, qu'il méditait, pouvait assouvir son ressentiment et sa vengeance.

J'ai dit que lorsque le Père Dirrag fut sorti de la chambre de Mademoiselle Éradice, je me retirai chez moi. Dès que je fus rentrée dans ma chambre, je me prosternai à genoux pour demander à Dieu la grâce d'être traitée comme mon amie. Mon esprit était dans une agitation qui approchait de la fureur, un feu intérieur me dévorait. Tantôt assise, tantôt debout, souvent à genoux, je ne trouvais aucune place qui pût me fixer. Je me jetai sur mon lit. L'entrée de ce membre rubicond dans la partie de Mademoiselle Éradice ne pouvait sortir de mon imagination, sans que j'y attachasse cependant aucune idée distincte de plaisir et encore moins de crime. Je tombai enfin dans une rêverie profonde, pendant laquelle il me sembla que ce même membre, détaché de tout autre objet, faisait son entrée dans moi par la même voie. Machinalement je me plaçai dans la même attitude que celle où j'avais vu Éradice et machinalement encore, dans l'agitation qui me faisait mouvoir, je me coulai sur le ventre jusqu'à la colonne du pied de lit, laquelle, se trouvant passée entre mes jambes et mes cuisses, m'arrêta et servit de point d'appui à la partie où je sentais une démangeaison inconcevable. Le coup qu'elle reçut par la colonne qui la fixa me causa une légère douleur, qui me tira de ma rêverie sans diminuer l'excès de la démangeaison. La position où j'étais exigeait que je levasse mon derrière pour tâcher d'en sortir ; de ce mouvement que je fis en remontant et coulant ma *moniche*[53] le long de la colonne, il résulta un frottement qui me causa un chatouillement extraordinaire. Je fis un second mouvement, puis un troisième, etc., qui eurent une augmentation de succès : tout à coup j'entrai dans un redoublement de fureur. Sans quitter ma situation, sans faire aucune espèce de réflexion, je me mis à remuer le derrière avec une agilité incroyable, glissant toujours le long de la salutaire colonne. Bientôt un excès de plaisir me transporta, je perdis connaissance, je me pâmai et m'endormis d'un profond sommeil.

Au bout de deux heures je m'éveillai, toujours ma chère colonne entre mes cuisses, couchée sur mon ventre, mes fesses découvertes. Cette posture me surprit ; je ne me souvenais de ce qui s'était passé que comme on se rappelle le tableau d'un songe[54]. Cependant me trouvant plus tranquille, l'évacuation de la céleste rosée me laissant l'esprit plus libre, je fis quelques réflexions sur tout ce que j'avais vu chez Éradice et sur ce qui venait de se passer en moi, sans en pouvoir tirer aucune conclusion raisonnable. La partie qui avait frotté le long de la colonne, ainsi que l'intérieur du haut de mes cuisses qui l'avait embrassée, me faisaient un mal cruel : j'osai y regarder malgré les défenses qui m'avaient été faites par mon ancien Directeur du couvent ; mais jamais je n'osai me déterminer à y porter la main, cela m'avait été trop expressément interdit.

Comme je finissais cet examen, la servante de ma mère vint m'avertir que Madame C... et Monsieur l'Abbé T... étaient au logis, où ils devaient dîner et que ma mère m'ordonnait de descendre pour leur faire compagnie : je les joignis.

Il y avait quelque temps que je n'avais pas vu Madame C... Quoiqu'elle eût bien des bontés pour ma mère à qui elle avait rendu de grands services et qu'elle eût la réputation d'une femme très pieuse, son éloignement marqué pour les maximes du Père Dirrag, pour ses exhortations mystiques, m'avait fait cesser de la fréquenter afin de ne pas déplaire à mon Directeur : il n'était pas traitable sur l'article et ne voulait point que son troupeau se confondît avec celui des autres Directeurs, ses concurrents. Il craignait sans doute les confidences, les éclaircissements ; enfin c'était une condition préalable très recommandée par

Thérèse se procure machinalement des plaisirs charnels.

Sa Révérence et très exactement observée par tout ce qui formait son troupeau.

Cependant nous nous mîmes à table. Le dîner fut gai. Je me sentais beaucoup mieux que de coutume : ma langueur avait fait place à la vivacité : plus de maux de reins, je me trouvais toute autre. Contre l'ordinaire des repas de Prêtres et de Dévotes, on ne médit point de son prochain à celui-ci. L'Abbé T..., qui a beaucoup d'esprit et encore plus d'acquis, nous fit mille jolis petits contes, qui sans intéresser la réputation de personne, portèrent la joie dans le cœur des convives.

Après avoir bu du champagne et pris le café [55], ma mère me tira en particulier pour me faire de vifs reproches sur le peu d'attention que j'avais eue depuis quelque temps à cultiver l'amitié et les bonnes grâces de Madame C... « C'est une dame aimable, me dit-elle, à qui je dois le peu de considération dont je jouis dans cette ville. Sa vertu, son esprit, ses lumières, la font estimer et respecter de toutes les personnes qui la connaissent : nous avons besoin de son appui. Je désire et je vous ordonne, ma fille, de contribuer de tous vos efforts à l'engager de nous le conserver. » Je répondis à ma mère qu'elle ne devait pas douter de ma soumission aveugle à ses volontés. Hélas ! La pauvre femme ne soupçonnait guère la nature des leçons que je devais recevoir de cette dame, qui jouissait en effet de la plus haute réputation.

Nous rejoignîmes, ma mère et moi, la compagnie. Un instant après, je m'approchai de Madame C... à qui je fis mes excuses sur mon peu d'exactitude à lui rendre mes devoirs ; je la priai de me permettre de réparer cette faute : j'essayai même d'entrer dans le détail des raisons qui me l'avaient fait commettre, mais Madame C... m'interrompit sans me permettre d'achever. « Je sais, me dit-elle avec bonté, tout ce que vous voulez me dire, n'entrons pas en matière sur des sujets qui ne sont point de notre ressort : chacun croit avoir ses raisons, peut-être sont-elles toutes bonnes ; ce qui est certain, c'est que je vous verrai toujours

avec grand plaisir ; et pour commencer à vous en
convaincre, ajouta-t-elle en élevant la voix, je vous
emmène souper ce soir avec moi : vous le voulez
bien ? dit-elle à ma mère. À condition que vous serez
de la partie avec Monsieur l'Abbé : vous avez l'un et
l'autre vos affaires, nous vous y laisserons vaquer.
Pour moi je vais me promener avec Mademoiselle
Thérèse ; vous savez l'heure et le lieu du rendez-
vous. » Ma mère fut enchantée ; les maximes du Père
Dirrag n'étaient point du tout de son goût : elle se
flatta que les conseils de Madame C… changeraient
mes dispositions pour le quiétisme dont on le soupçonnait ; peut-être même agissaient-elles de concert.
Quoi qu'il en soit, elles réussirent bientôt au-delà de
leurs espérances.

Nous sortîmes donc, Madame C… et moi. Mais
nous n'eûmes pas fait cent pas, que la douleur que je
ressentais devint si vive, que j'avais peine à me soutenir. Je faisais des contorsions horribles. Madame C…
s'en aperçut. « Qu'avez-vous, me dit-elle, ma chère
Thérèse ? Il semble que vous vous trouviez mal. »
J'eus beau dire que ce n'était rien ; les femmes sont
naturellement curieuses ; elle me fit mille questions,
qui me jetèrent dans un embarras qui ne lui échappa
point. « Seriez-vous, me dit-elle, du nombre de nos
fameuses stigmatisées ? Vos pieds ont peine à vous
porter et vous êtes toute décontenancée. Venez, mon
enfant, dans mon jardin où vous pourrez vous
tranquilliser. » Nous en étions peu éloignées. Dès que
nous y fûmes rendues, nous nous assîmes dans un
petit cabinet charmant, qui est sur le bord de la mer.

Après quelques discours vagues, Madame C… me
demanda de nouveau si effectivement j'avais des stigmates et comme je me trouvais de la direction du Père
Dirrag. « Je ne puis vous cacher, ajouta-t-elle, que je
suis si étonnée de ce genre de miracle, que je désire
ardemment de voir par moi-même s'il existe en effet ;
allons, ma chère petite, dit-elle, ne me cachez rien :
expliquez-moi de quelle manière et quand ces plaies
ont paru : vous devez être assurée que je n'abuserai

pas de votre confiance et je pense que vous me connaissez assez pour n'en pas douter. »

Si les femmes sont curieuses, les femmes aiment
aussi à parler : j'avais un peu de ce dernier défaut ;
d'ailleurs quelques verres de vin de Champagne
m'avaient échauffé la tête, je souffrais beaucoup, il
n'en fallait pas tant pour me déterminer à tout dire. Je
répondis d'abord tout naturellement à Madame C…
que je n'avais pas le bonheur d'être du nombre de ces
élues du Seigneur, mais que ce même matin j'avais vu
les stigmates de Mademoiselle Éradice et que le très
Révérend Père Dirrag les avait visités en ma présence. Nouvelles questions empressées de la part de
Madame C… qui de fil en aiguille, de circonstances en
circonstances, m'engagea insensiblement à lui rendre
compte, non seulement de ce que j'avais vu chez
Éradice, mais encore de ce qui m'était arrivé dans ma
chambre et des douleurs qui en résultaient.

Pendant tout ce narré singulier, Madame C… eut la
prudence de ne pas témoigner la moindre surprise :
elle louait tout, pour m'engager à tout dire. Lorsque je
me trouvais embarrassée sur les termes qui me man-
quaient pour expliquer les idées de ce que j'avais vu,
elle exigeait de moi des descriptions dont la lasciveté
devait beaucoup la réjouir dans la bouche d'une fille
de mon âge et aussi simple que je l'étais[56]. Jamais
peut-être tant d'infamies n'ont été dites et ouïes avec
autant de gravité.

Dès que j'eus fini de parler, Madame C… parut
plongée dans de sérieuses réflexions ; elle ne répondit
que par monosyllabes à quelques questions que je lui
proposai. Revenue à elle-même, elle me dit que tout
ce qu'elle venait d'entendre avait quelque chose de
bien singulier, qui méritait beaucoup d'attention ;
qu'en attendant qu'elle pût m'apprendre ce qu'elle en
pensait et quel était le parti qu'il convenait que je
prisse, je devais d'abord songer à soulager la douleur
que je ressentais, en bassinant avec du vin chaud les
parties qui avaient été meurtries par le frottement de
la colonne de mon lit. « Gardez-vous bien, me dit-elle,

ma chère enfant, de rien dire à votre mère ni à qui que ce puisse être et encore moins au Père Dirrag, de ce que vous venez de me confier. Il y a dans tout ceci du bien et du mal. Rendez-vous chez moi demain vers les neuf heures du matin ; je vous en dirai davantage ; comptez sur mon amitié, l'excellence de votre cœur et de votre caractère vous l'ont entièrement acquise. Je vois votre mère qui s'avance ; allons au-devant d'elle, et parlons de tout autre chose. »

Monsieur l'Abbé T... entra un quart d'heure après. On soupe de bonne heure en province ; il était alors sept heures et demie, on servit, nous nous mîmes à table.

Pendant le souper, Madame C... ne put s'empêcher de lâcher quelques traits satiriques sur le Père Dirrag : l'Abbé en parut surpris, il l'en blâma avec délicatesse. « Pourquoi, poursuivit-il, ne pas laisser tenir à chacun la conduite qui lui convient, pourvu qu'elle n'ait rien de contraire à l'ordre établi ? Jusqu'à présent nous ne voyons rien du Père Dirrag qui s'en éloigne ! Permettez-moi donc, madame, de n'être pas de votre avis, jusqu'à ce que des événements justifient les idées que vous voulez me donner de ce Père. » Madame C..., pour ne pas être obligée de répondre, changea adroitement le sujet de la conversation. On quitta la table vers les dix heures ; Madame C... dit quelque chose à l'oreille de Monsieur l'Abbé, qui sortit avec ma mère et moi et nous reconduisit chez nous.

Comme il est juste, mon cher Comte, que vous sachiez ce que c'est que Madame C... et Monsieur l'Abbé T..., je pense qu'il est temps de vous en donner une idée.

Madame C... est née Demoiselle[57]. Ses parents l'avaient contrainte d'épouser à quinze ans un vieil officier de marine, qui en avait soixante. Celui-ci mourut cinq ans après son mariage et laissa Madame C... enceinte d'un garçon, qui en venant au monde faillit à faire perdre la vie à celle qui lui donnait le jour. Cet enfant mourut au bout de trois mois et

a pretty young widow ⇒ takes on teaching

Madame C... se trouva, par cette mort, héritière d'un bien assez considérable. Veuve, jolie, maîtresse d'elle-même à l'âge de vingt ans [58], elle fut bientôt recherchée de tous les épouseurs de la province. Mais elle s'expliqua si positivement sur le dessein où elle était de ne jamais courir les risques dont elle avait échappé comme miraculeusement, en mettant au monde son premier enfant, que même les plus empressés abandonnèrent la partie.

Madame C... avait beaucoup d'esprit ; elle était ferme dans ses sentiments, qu'elle n'adoptait qu'après les avoir mûrement examinés. Elle lisait beaucoup et aimait à s'entretenir sur les matières les plus abstraites. Sa conduite était sans reproche. Amie essentielle, elle rendait service dès qu'elle le pouvait. Ma mère en avait fait d'utiles expériences. Elle avait alors vingt-six ans [59] ; j'aurai l'occasion par la suite de vous faire le portrait de sa personne.

Monsieur l'Abbé T..., ami particulier et en même temps Directeur de conscience de Madame C..., était un homme d'un vrai mérite. Il était âgé de quarante-quatre à quarante-cinq ans ; petit, mais bien fait ; une physionomie ouverte, spirituelle ; soigneux observateur des bienséances de son état ; aimé et recherché de la bonne compagnie, dont il faisait les délices. À beaucoup d'esprit il joignait des connaissances étendues. Ses bonnes qualités généralement reconnues lui avaient fait obtenir le poste qu'il remplissait et que je dois taire ici. Il était le Confesseur et l'ami des gens de mérite de l'un et de l'autre sexe, comme le Père Dirrag l'était des Dévotes de profession, des Enthousiastes [60], des Quiétistes et des Fanatiques.

Je retournai le lendemain matin chez Madame C... à l'heure convenue.

« Eh bien ! Ma chère Thérèse, me dit-elle en entrant, comment vont vos pauvres petites parties affligées ? Avez-vous bien dormi ?

– Tout se porte mieux, madame, lui dis-je, j'ai fait ce que vous m'avez prescrit. Tout a été bien bassiné ; cela m'a soulagée ; mais j'espère au moins de n'avoir

pas offensé Dieu. » Madame C... sourit ; et après
m'avoir fait prendre du café : « Ce que vous m'avez
conté hier, me dit-elle, est de plus grande conséquence que vous ne pensez. J'ai cru devoir en parler à
Monsieur T... qui vous attend actuellement à son
confessionnal. J'exige de vous que vous alliez le
trouver et que vous lui répétiez mot à mot tout ce que
vous m'avez dit. C'est un honnête homme et de bon
conseil, vous en avez besoin. Je pense qu'il vous pres-
crira une nouvelle façon de vous conduire, qui est
nécessaire à votre salut et à votre santé. Votre mère
mourrait de chagrin, si elle apprenait ce que je sais ;
car je ne puis vous cacher qu'il y a des horreurs dans
ce que vous avez vu chez Mademoiselle Éradice.
Allez, Thérèse, partez et donnez une confiance entière
à Monsieur T... ; vous n'aurez pas lieu de vous en
repentir. »

Je me mis à pleurer et je sortis toute tremblante
pour aller trouver Monsieur T... qui entra dans son
confessionnal dès qu'il m'aperçut.

Je ne cachai rien à Monsieur T... qui m'écouta
attentivement jusqu'au bout, sans m'interrompre que
pour me demander de certaines explications sur les
détails qu'il ne comprenait pas. « Vous venez, me dit-
il, de m'apprendre des choses étonnantes. Le Père
Dirrag est un fourbe, un malheureux, qui se laisse
emporter par la force de ses passions ; il marche à sa
perte et il entraînera celle de Mademoiselle Éradice ;
néanmoins, mademoiselle, il faut les plaindre plutôt
que de les blâmer. Nous ne sommes pas toujours
maîtres de résister à la tentation ; le bonheur et le malheur de notre vie se décident souvent par les
occasions [61]. Soyez donc attentive à les éviter : cessez
de voir le Père Dirrag et toutes ses Pénitentes, sans
parler mal des uns ni des autres ; la charité le veut
ainsi. Fréquentez Madame C..., elle a pris de l'amitié
pour vous ; elle ne vous donnera que de bons conseils
et de bons exemples à suivre.

« Parlons présentement, mon enfant, de ces cha-
touillements excessifs que vous sentez souvent dans

nature and. God
again

cette partie qui a frotté à la colonne de votre lit ; ce
sont des besoins de tempérament aussi naturels que
ceux de la faim et de la soif : il ne faut ni les rechercher
ni les exciter ; mais dès que vous vous en sentirez vivement pressée, il n'y a nul inconvénient à vous servir de
votre main, de votre doigt, pour soulager cette partie
par le frottement qui lui est alors nécessaire. Je vous
défends cependant expressément d'introduire votre
doigt dans l'intérieur de l'ouverture qui s'y trouve ; il
suffit, quant à présent, que vous sachiez que cela
pourrait vous faire tort un jour dans l'esprit du mari
que vous épouserez. Au reste, comme ceci, je vous le
répète, est un besoin que les lois immuables de la
Nature excitent en nous, c'est aussi des mains de la
Nature que nous tenons le remède que je vous indique
pour soulager ce besoin. Or, comme nous sommes
assurés que la loi naturelle est d'institution divine,
comment oserions-nous craindre d'offenser Dieu en
soulageant nos besoins par des moyens qu'il a mis en
nous, qui sont son ouvrage, surtout lorsque ces
moyens ne troublent point l'ordre établi dans la
société [62] ? Il n'en est pas de même, ma chère fille, de
ce qui s'est passé entre le Père Dirrag et Mademoiselle
Éradice : ce Père a trompé sa Pénitente : il a risqué de
la rendre mère en substituant, à la place du feint
cordon de saint François, le membre naturel de
l'homme, qui sert à la génération. Par là il a péché
contre la loi naturelle qui nous prescrit d'aimer notre
prochain comme nous-même. Est-ce aimer son prochain que de mettre, comme il l'a fait, Mademoiselle
Éradice dans le hasard d'être perdue de réputation et
déshonorée pour toute sa vie ? L'introduction, ma
chère enfant et les mouvements que vous avez vus de
ce membre du Père dans la partie naturelle de sa Pénitente, qui est la mécanique de la fabrique du genre
humain, n'est permise que dans l'état du mariage :
dans celui de fille, cette action peut nuire à la tranquillité des familles et troubler l'intérêt public, qu'il faut
toujours respecter. Ainsi, tant que vous ne serez pas
liée par le Sacrement du mariage, gardez-vous bien de

souffrir d'aucun homme une pareille opération en quelque sorte d'attitude que ce puisse être. Je vous ai indiqué un remède qui modérera l'excès de vos désirs et qui tempérera le feu qui les excite. Ce même remède contribuera bientôt au rétablissement de votre santé chancelante et vous rendra votre embonpoint. Votre figure aimable ne manquera pas de vous attirer alors des amants qui chercheront à vous séduire. Soyez bien sur vos gardes et ne perdez point de vue les leçons que je vous donne. C'en est assez pour aujourd'hui, ajouta ce sensé Directeur ; vous me trouverez ici dans huit jours à la même heure. Souvenez-vous au moins que tout ce qui se dit dans le tribunal de la pénitence doit être aussi sacré pour le Pénitent que pour son Confesseur et que c'est un péché énorme que d'en révéler la moindre circonstance à personne. »

Les préceptes de mon nouveau Directeur avaient charmé mon âme ; j'y voyais un air de vérité, une sorte de démonstration soutenue, un principe de charité, qui me faisaient sentir le ridicule de ce que j'avais ouï jusqu'alors.

Après avoir passé la journée à réfléchir, le soir avant de me coucher, je me préparai à bassiner les parties meurtries ; tranquille sur les regards et sur les attouchements, je me troussai et m'étant assise sur le bord de mon lit, j'écartai les cuisses de mon mieux et m'attachai à examiner attentivement cette partie qui nous fait femmes ; j'en entrouvrais les lèvres et cherchant avec le doigt l'ouverture par laquelle le Père Dirrag avait pu enfiler Éradice avec un si gros instrument, je la découvris, sans pouvoir me persuader que ce fût elle ; sa petitesse me tenait dans l'incertitude ; et je tentais d'y introduire le doigt, lorsque je me souvins de la défense de Monsieur T... Je le retirai avec promptitude, en remontant le long de la fente. Une petite éminence que j'y rencontrai me causa un tressaillement ; je m'y arrêtai, je frottai et bientôt j'arrivai au comble du plaisir. Quelle heureuse décou-

Thérèse fait une heureuse découverte
en se bassinant la partie qui distingue son sexe.

verte pour une fille qui avait dans elle une source abondante de la liqueur qui en est le principe !

Je nageai pendant près de six mois dans un torrent de volupté sans qu'il m'arrivât rien qui mérite ici sa place.

Ma santé s'était entièrement rétablie : ma conscience était tranquille par les soins de mon nouveau Directeur, qui me donnait des conseils sages et combinés avec les passions humaines ; je le voyais régulièrement tous les lundis au confessionnal et tous les jours chez Madame C... Je ne quittais plus cette aimable femme : les ténèbres de mon esprit se dissipaient ; peu à peu je m'accoutumais à penser, à raisonner conséquemment. Plus de Père Dirrag pour moi, plus d'Éradice.

Que l'exemple et les préceptes sont des grands maîtres pour former le cœur et l'esprit ! S'il est vrai qu'ils ne nous donnent rien et que chacun ait en soi les germes de tout ce dont il est capable, il est certain du moins qu'ils servent à développer ces germes et à nous faire apercevoir les idées, les sentiments dont nous sommes susceptibles et qui, sans l'exemple, sans les leçons, resteraient enfouis dans leurs entraves et dans leurs enveloppes.

Cependant ma mère continuait son commerce en gros, qui réussissait mal : on lui devait beaucoup et elle était à la veille d'essuyer une banqueroute de la part d'un Négociant de Paris capable de la ruiner. Après s'être consultée, elle se détermina à faire un voyage dans cette superbe ville. Cette tendre mère m'aimait trop pour me perdre de vue pendant un espace de temps qui pouvait être fort long : il fut résolu que je l'accompagnerais. Hélas ! La pauvre femme ne prévoyait guère qu'elle y finirait ses tristes jours et que je retrouverais dans les bras de mon cher Comte la source du bonheur des miens.

Il fut déterminé que nous partirions dans un mois ; temps que j'allai passer avec Madame C... à sa maison de campagne, éloignée d'une petite lieue de la ville. Monsieur l'Abbé y venait régulièrement tous les

jours et y couchait, lorsque ses devoirs le lui permet-
taient. L'un et l'autre m'accablaient de caresses ; on ne
craignait plus de tenir devant moi des propos assez
libres, de parler de matières de morale, de religion,
de sujets métaphysiques, dans un goût bien différent
des principes que j'avais reçus. Je m'apercevais que
Madame C… était contente de ma façon de penser et
de raisonner et qu'elle se faisait un plaisir de me
conduire, de conséquence en conséquence, à des
preuves claires et évidentes. Quelquefois seulement
j'avais le chagrin de remarquer que Monsieur
l'Abbé T… lui faisait signe de ne pas pousser si loin
ses raisonnements sur certaines matières. Cette
découverte m'humilia ; je résolus de tout tenter pour
être instruite de ce que l'on voulait me cacher. Je
n'avais pas, jusqu'alors, formé le moindre soupçon sur
la tendresse mutuelle qui les unissait. Bientôt je n'eus
plus rien à désirer, comme vous allez l'entendre.

Vous verrez, mon cher Comte, quelle est la source
où j'ai puisé les principes de morale et de métaphysique que vous avez si bien cultivés et qui, en m'éclai-
rant sur ce que nous sommes dans ce monde, comme
sur ce que nous avons à craindre de l'autre, assurent la
tranquillité d'une vie dont vous faites tout le plaisir.

Nous étions alors dans les plus beaux jours de l'été.
Madame C… se levait ordinairement vers les cinq
heures du matin, pour aller se promener dans un petit
bosquet[63] au bout de son jardin. J'avais remarqué que
l'Abbé T… s'y rendait aussi lorsqu'il couchait à la
campagne ; qu'au bout d'une heure ou deux ils ren-
traient ensemble dans l'appartement où couchait
Madame C… et qu'enfin l'un et l'autre ne paraissaient
ensuite dans la maison que vers les huit à neuf heures.
Je résolus de les prévenir dans le bosquet et de m'y
cacher de manière à pouvoir les entendre. Comme je
n'avais pas l'ombre du soupçon de leurs amours, je ne
prévoyais point du tout ce que je perdrais en ne les
voyant pas. Je fus donc reconnaître le terrain et
m'assurer une place commode à mon projet.

Le soir, en soupant, la conversation tomba sur les opérations et sur les productions de la Nature.

« Mais qu'est-ce donc que cette Nature ? dit Madame C… Est-ce un Être particulier ? Tout ne serait-il pas produit par Dieu ? Serait-elle une Divinité subalterne ?

– En vérité, vous n'êtes pas raisonnable de parler ainsi, répliqua vivement l'Abbé T… en lui faisant un clin d'œil. Je vous promets, dit-il, dans notre promenade, demain matin, de vous expliquer l'idée que l'on doit avoir de cette mère commune du genre humain : il est trop tard pour toucher cette matière. Ne voyez-vous pas qu'elle accablerait d'ennui Mademoiselle Thérèse, qui tombe de sommeil ? Si vous voulez m'en croire, l'une et l'autre, allons nous coucher ; je vais finir mes heures et je suivrai de près votre exemple. »

Le conseil de l'Abbé fut rempli : chacun se retira dans son appartement.

Le lendemain, dès la pointe du jour, j'allai me camper dans mon embuscade. Je me plaçai dans des broussailles qui étaient derrière une espèce de bosquet de charmille, orné de bancs de bois peints en vert et de quelques statues. Après une heure d'impatience mes héros arrivèrent et s'assirent précisément sur le banc derrière lequel je m'étais gîtée.

« Oui en vérité, disait l'Abbé en entrant, elle devient tous les jours plus jolie ; ses tétons sont grossis au point de remplir fort bien la main d'un honnête Ecclésiastique ; ses yeux ont une vivacité qui ne dément pas le feu de son tempérament ; car elle en a un des plus forts, la petite friponne de Thérèse. Imagine-toi qu'en profitant de la permission que je lui ai donnée de se soulager avec le doigt elle le fait au moins une fois tous les jours. Avoue que je suis aussi bon Médecin que docile Confesseur ; je lui ai guéri le corps et l'esprit.

– Mais, Abbé, reprit Madame C…, auras-tu bientôt fini avec ta Thérèse ? Sommes-nous venus ici pour nous entretenir de ses beaux yeux, de son tempérament ? Je soupçonne, Monsieur l'égrillard, que vous auriez bien envie de lui éviter la peine qu'elle prend de s'appliquer elle-même votre recette. Au reste tu sais que je suis bonne princesse et j'y consentirais volontiers, si je n'en prévoyais pas le danger pour toi. Thérèse a de l'esprit ; mais elle est trop jeune et n'a pas assez d'usage du monde pour oser s'y confier. Je remarque que sa curiosité est sans égale. Il y a de quoi faire par la suite un très bon sujet ; et sans les inconvénients dont je viens de parler, je n'hésiterais pas à te proposer de la mettre de tiers dans nos plaisirs ; car convenons qu'il y a bien de la folie à être jaloux ou envieux du bonheur de ses amis, dès que leur félicité n'ôte rien à la nôtre.

– Vous avez bien raison, madame, dit l'Abbé. Ce sont deux passions qui tourmentent en pure perte tous ceux qui ne sont pas nés pour savoir penser. Il faut distinguer cependant l'envie de la jalousie. L'envie est une passion innée dans l'homme ; elle fait partie de son essence : les enfants au berceau sont envieux de ce qu'on donne à leurs semblables. Il n'y a que l'éducation qui puisse modérer les effets de cette passion que nous tenons des mains de la Nature. Mais il n'en est pas de même de la jalousie considérée par rapport aux plaisirs de l'amour. Cette passion est l'effet de notre amour-propre et du préjugé. Nous connaissons des nations entières où les hommes offrent à leurs convives la jouissance de leurs femmes, comme nous offrons aux nôtres le meilleur vin de notre cave. Un de ces insulaires [64] caresse l'amant qui jouit des embrassements de sa femme : ses compatriotes l'applaudissent, le félicitent. Un Français, en même cas, fait la moue : chacun le montre du doigt et se moque de lui. Un Persan poignarde l'amant et la maîtresse : tout le monde applaudit à ce double assassinat [65].

« Il est donc évident que la jalousie n'est pas une passion que nous tenions de la Nature : c'est l'éducation, c'est le préjugé du pays qui l'a fait naître. Dès l'enfance, une fille à Paris lit, entend dire qu'il est humiliant d'essuyer une infidélité de son amant ; on assure à un jeune homme qu'une maîtresse, qu'une

femme infidèle blesse l'amour-propre, déshonore
l'amant ou le mari. De ces principes sucés, pour ainsi
dire, avec le lait, naît la jalousie, ce monstre qui tour-
mente les humains en pure perte, pour un mal qui n'a
rien de réel.

« Distinguons néanmoins l'inconstance de l'infidélité [66]. J'aime une femme dont je suis aimé : son caractère sympathise avec le mien ; sa figure, sa jouissance
font mon bonheur ; elle me quitte : ici la douleur n'est
plus l'effet du préjugé, elle est raisonnable, je perds un
bien effectif, un plaisir d'habitude que je ne suis pas
certain de pouvoir réparer avec tous ses agréments :
mais d'une infidélité passagère, qui n'est que l'ouvrage
du plaisir, du tempérament, quelquefois celui de la
reconnaissance, ou d'un cœur tendre et sensible à la
peine ou au plaisir d'autrui, quel inconvénient en
résulterait-il ? En vérité, quoi qu'on dise, il faut être
peu sensé pour s'inquiéter de ce qu'on nomme à juste
titre *un coup d'épée dans l'eau*, d'une chose qui ne nous
fait ni bien ni mal.

– Oh ! Je vous vois venir, dit Madame C... en interrompant l'Abbé T... Ceci m'annonce tout doucement
que par bon cœur ou pour faire plaisir à Thérèse,
vous seriez homme à lui donner une petite leçon de
volupté, un petit clystère aimable, qui, selon vous, ne
me ferait ni bien ni mal. Va, mon cher Abbé, continua-
t-elle, j'y consens avec joie ; je vous aime tous deux ;
vous gagnerez l'un et l'autre par cette épreuve à
laquelle je ne perdrai rien : pourquoi m'y opposerais-
je ? Si je m'en inquiétais, tu conclurais avec raison que
je n'aime que moi, que ma satisfaction particulière,
qu'à l'augmenter aux dépens même de celle que tu
peux goûter ailleurs ; et c'est ce qui n'est point : je sais
faire mon bonheur indistinctement de tout ce qui peut
contribuer à augmenter le tien. Ainsi tu peux, mon
cher ami, sans craindre de me désobliger, houspiller [67]
de ton mieux la moniche de Thérèse : cela fera grand
bien à cette pauvre fille. Mais, je te le répète, prends
garde à l'imprudence...

– Quelle folie ! reprit l'Abbé. Je vous jure que je ne pense point à Thérèse. J'ai voulu simplement vous expliquer le mécanisme par lequel la Nature…

– Eh bien ! N'en parlons plus, répliqua Madame C… Mais à propos de *Nature*, tu oublies, ce me semble, la promesse que tu m'avais faite de me définir ce que c'est que cette bonne mère. Voyons un peu comment tu te tireras de cette démonstration, car tu prétends que tu démontres tout.

– Je le veux, répondit l'Abbé ; mais, ma petite mère, tu sais ce qu'il me faut auparavant ; je ne vaux rien quand je n'ai pas fait la besogne qui affecte le plus vivement mon imagination. Les autres idées ne sont pas nettes et se trouvent toujours absorbées, confondues par celle-ci. Je t'ai déjà dit que, lorsque à Paris je m'occupais presque uniquement de la lecture et des sciences les plus abstraites, dès que je sentais l'aiguillon de la chair me tracasser, j'avais une petite fille *ad hoc* [68] comme on a un pot de chambre pour pisser, à qui je faisais une ou deux fois la grosse besogne, dont il vous plaît de ne vouloir pas tâter de ma façon. Alors l'esprit tranquille, les idées nettes, je me remettais au travail ; et je soutiens que tout homme de lettres, tout homme de cabinet, qui a un peu de tempérament, doit user de ce remède, aussi nécessaire à la santé du corps qu'à celle de l'esprit [69]. Je dis plus : je prétends que tout honnête homme qui connaît les devoirs de la société devrait en faire usage, afin de s'assurer de n'être point excité trop vivement à s'écarter de ces devoirs en débauchant la femme ou la fille de ses amies, ou de ses voisins.

« Présentement vous me demanderez peut-être, madame, continua l'Abbé, comment doivent donc faire les femmes et les filles. Elles ont, dites-vous, leurs besoins comme les hommes, elles sont de même pâte ; cependant elles ne peuvent pas se servir des mêmes ressources : le point d'honneur, la crainte d'un indiscret, d'un maladroit, d'un faiseur d'enfant, ne leur permet pas d'avoir recours au même remède que les hommes. D'ailleurs, ajouterez-vous, où en trouver de

ces hommes tous prêts, comme l'était votre petite fille
ad hoc[70] ? Eh bien, madame, continua T..., que les
femmes et les filles fassent comme Thérèse et vous ; si
ce jeu ne leur plaît pas assez (comme en effet il ne
plaît pas à toutes), qu'elles se servent de ces ingénieux
instruments nommés *godemichés* : c'est une imitation
assez naturelle de la réalité. Joignez à cela que l'on
peut s'aider de l'imagination. Au bout du compte, je le
répète, les hommes et les femmes ne doivent se procurer que les plaisirs qui ne peuvent pas troubler
l'intérieur de la société établie. Les femmes ne doivent
donc jouir que de ceux qui leur conviennent, eu égard
aux devoirs que cet établissement leur impose[71]. Vous
aurez beau vous récrier à l'injustice, ce que vous
regardez comme injustice particulière assure le bien
général, que personne ne doit tenter d'enfreindre.

– Oh ! Je vous tiens, Monsieur l'Abbé, répliqua
Madame C..., vous venez me dire présentement qu'il
ne faut pas qu'une femme, qu'une fille, se laissent
faire ce que vous savez par les hommes, ni qu'un honnête homme trouble l'intérêt public en cherchant à les
séduire ; tandis que vous-même, Monsieur le paillard,
m'avez tourmentée cent fois pour me mettre dans ce
cas et qu'il n'y a pas longtemps que ce serait une
besogne faite, sans la crainte insurmontable que j'ai
toujours eue de devenir grosse ; vous n'avez donc pas
craint, pour satisfaire votre plaisir particulier, d'agir
contre l'intérêt général que vous prônez si fort.

– Bon ! Nous y voilà encore ! reprit l'Abbé. Tu
recommences donc toujours la même chanson, ma
petite mère ? Ne t'ai-je pas dit qu'en agissant avec de
certaines précautions, on ne risque point cet inconvénient ? N'es-tu pas convenue avec moi que les femmes
n'ont que trois choses à redouter, la peur du Diable, la
réputation et la grossesse ? Tu es très apaisée, je pense,
sur le premier article ; je ne crois pas que tu craignes
de ma part l'indiscrétion ni l'imprudence, qui seules
peuvent ternir la réputation ; enfin on ne devient mère
que par l'étourderie de son amant. Or, je t'ai déjà
démontré plus d'une fois, par l'explication du méca-

nisme de la fabrique des hommes, que rien n'était plus facile à éviter : répétons donc encore ce que nous avons dit à ce sujet. L'amant, par la réflexion ou par la vue de sa maîtresse, se trouve dans l'état qui est nécessaire à l'acte de la génération : le sang, les esprits, le nerf érecteur, ont enflé et raidi son dard ; tous deux d'accord, ils se mettent en posture : la flèche de l'amant est poussée dans le carquois de sa maîtresse ; les semences se préparent par le frottement réciproque des parties. L'excès du plaisir les transporte ; déjà l'élixir divin est prêt à couler : alors l'amant sage, maître de ses passions, retire l'oiseau de son nid ; et sa main, ou celle de sa maîtresse, achève par quelques légers mouvements de provoquer l'éjaculation au-dehors. Point d'enfant à craindre dans ce cas. L'amant étourdi et brutal pousse au contraire jusqu'au fond du vagin, il y répand sa semence ; elle pénètre dans la matrice et de là dans ses trompes où se forme la génération.

« Voilà, madame, continua Monsieur T…, puisque vous avez voulu que je le répétasse encore, quel est le mécanisme des plaisirs de l'amour. Me connaissant tel que je suis, pouvez-vous me croire du nombre de ces derniers imprudents ? Non, ma chère amie, j'ai fait cent fois l'expérience du contraire ; laisse-moi, je te conjure, la renouveler aujourd'hui avec toi. Regarde dans quel état de triomphe est mon drôle : tu le tiens ; oui ; serre-le bien dans ta main, tu vois qu'il demande grâce, et je…

– Non pas, s'il vous plaît, mon cher Abbé, répliqua à l'instant Madame C…, il n'en sera rien, je vous jure ; tout ce que vous m'avez dit ne peut me tranquilliser sur mes craintes ; et je vous procurerais un plaisir que je ne pourrais pas goûter, cela n'est pas juste. Laissez-moi donc faire : je vais mettre ce petit effronté à la raison. Eh bien ! poursuivit-elle, es-tu content de mes tétons et de mes cuisses ? Les as-tu assez baisés, assez maniés ? Pourquoi trousser ainsi mes manchettes au-dessus du coude ? Monsieur aime sans doute à voir les

*L'Abbé T… procure les plaisirs de la petite oie
à Madame C…, sa maîtresse.*

mouvements d'un bras nu ? Fais-je bien ? Tu ne dis mot ! Ah ! Le coquin ! Qu'il a de plaisir ! »

Il se fit un instant de silence. Puis tout à coup j'entendis l'Abbé qui s'écria : « Ma chère maman, je n'en puis plus ; un peu plus vite, donne-moi donc ta petite langue, je t'en prie. Ah ! Il… cou… le ! »

Juge, mon cher Comte, de l'état où j'étais pendant cette édifiante conversation. J'essayai vingt fois de me lever, pour tâcher de trouver quelque ouverture par où je pusse découvrir les objets ; mais le bruit des feuilles me retint toujours. J'étais assise : je m'allongeai de mon mieux et pour éteindre le feu qui me dévorait, j'eus recours à mon petit exercice ordinaire.

Après quelques moments, qui furent employés sans doute à réparer le désordre de Monsieur l'Abbé :

« En vérité, dit-il, toute réflexion faite, je crois, ma bonne amie, que vous avez eu raison de me refuser la jouissance que je vous demandais : j'ai senti un plaisir si vif, un chatouillement si puissant, que je pense que tout eût coulé à travers choux, si vous m'eussiez laissé faire.

« Il faut avouer que nous sommes des animaux bien faibles et bien peu maîtres de diriger nos volontés.

– Je sais tout cela, mon pauvre Abbé, reprit Madame C…, tu ne m'apprends rien de nouveau ; mais dis-moi, est-il bien vrai que, dans le genre des plaisirs que nous goûtons, nous ne péchions pas contre l'intérêt de la société ? Et cet amant sage, dont tu approuves la prudence, qui retire l'oiseau de son nid et qui répand le baume de vie au-dehors, ne fait-il pas également un crime ? Car il faut convenir que les uns et les autres nous supprimons à la société un citoyen qui pourrait lui devenir utile.

– Ce raisonnement, répliqua l'Abbé, paraît d'abord spécieux ; mais vous allez voir, ma belle dame, qu'il n'a cependant que l'écorce. Nous n'avons aucune loi humaine ni divine qui nous invite et encore moins qui nous contraigne de travailler à la multiplication du genre humain[72]. Toutes ces lois permettent le célibat aux garçons et aux filles, à une foule de Moines fainéants et Religieuses inutiles : elles permettent à l'homme marié d'habiter avec sa femme grosse, quoique les semences alors répandues le soient sans espérance de fruit. L'état de virginité est même réputé préférable à celui du mariage. Or, ces faits posés, n'est-il pas certain que l'homme qui triche, et ceux qui, comme nous, jouissent des plaisirs de la petite oie[73], ne font rien de plus que ces Moines, que ces Religieuses, que tout ce qui vit dans le célibat ? Ceux-ci conservent dans leurs reins en pure perte une semence que les premiers répandent en pure perte : ne sont-ils donc pas les uns et les autres précisément dans un cas égal, eu égard à la société[74] ? Ils ne lui donnent tous aucun citoyen ; mais la saine raison ne nous dicte-t-elle pas qu'il vaut mieux encore que nous jouissions d'un plaisir qui ne fait tort à personne, en répandant inutilement cette semence, que de la conserver dans nos vaisseaux spermatiques, non seulement avec la même inutilité, mais encore toujours aux dépens de notre santé et souvent de notre vie ? Ainsi vous voyez, Madame la raisonneuse, ajouta l'Abbé, que nos plaisirs ne font pas plus de tort à la société que le célibat approuvé des Moines, des Religieuses, etc. et que nous pouvons aller notre petit train. »

Sans doute qu'ensuite de ces réflexions l'Abbé se mit en devoir de rendre service à Madame C... car j'entendis un instant après que celle-ci lui disait :

« Ah ! Finis, vilain Abbé, retire ton doigt, je ne suis pas en train aujourd'hui, je me ressens encore de nos folies d'hier, remettons celle-ci à demain. D'ailleurs tu sais que j'aime à être à mon aise, bien étendue sur mon lit : ce banc n'est point commode ; finis, encore un coup, je ne veux de toi présentement que la définition que tu m'as promise sur Dame Nature : vous voilà tranquille, Monsieur le Philosophe ; parlez, je vous écoute.

– Sur Dame Nature ? reprit l'Abbé. Ma foi, vous en saurez bientôt autant que moi. C'est un Être imaginaire, c'est un mot vide de sens. Les premiers chefs des religions, les premiers politiques, embarrassés sur l'idée qu'ils devaient donner au public du bien et du mal moral, ont imaginé un Être entre Dieu et nous, qu'ils ont rendu l'auteur de nos passions, de nos maladies, de nos crimes. Comment en effet sans ce secours eussent-ils concilié leur système avec la bonté infinie de Dieu ? D'où eussent-ils dit que nous venaient ces envies de voler, de calomnier, d'assassiner[75] ? Pourquoi tant de maladies, tant d'infirmités ? Qu'avait fait à Dieu ce malheureux cul-de-jatte, né pour ramper sur la terre pendant toute sa vie ? Un Théologien nous dit à cela : *Ce sont des effets de la Nature*. Mais qu'est-ce que c'est que cette Nature ? Est-ce un autre dieu que nous ne connaissons pas ? Agit-elle par elle-même et indépendamment de la volonté de Dieu ? Non, dit encore sèchement le Théologien. Comme Dieu ne peut pas être l'auteur du mal, le mal ne peut exister que par le moyen de la Nature. Quelle absurdité ! Est-ce du bâton qui me frappe que je dois me plaindre ? N'est-ce pas de celui qui a dirigé le coup ? N'est-ce pas lui qui est l'auteur du mal que je ressens ? Pourquoi ne pas convenir une bonne fois que la Nature est un Être de raison, un mot vide de sens ; que tout est de Dieu ; que le mal physique qui nuit aux uns sert au bonheur des autres ; que tout est bien ; qu'il n'y a rien de mal dans le monde eu égard à la Divinité[76] ; que tout ce qui s'appelle *bien* ou *mal* moral n'est que relatif à l'intérêt des sociétés établies parmi les hommes, mais non relatif à Dieu, par la volonté duquel nous agissons nécessairement d'après les premières lois, d'après les premiers principes du mouvement qu'il a établi dans tout ce qui existe[77] ? Un homme vole, il fait du bien par rapport à lui, du mal par son infraction à l'établissement de la société, mais rien par rapport à Dieu[78]. Cependant je conviens que cet homme doit être puni, quoiqu'il ait agi nécessairement, quoique je sois convaincu qu'il n'a pas été libre de commettre ou de ne pas commettre son crime ; mais il doit l'être parce que la punition d'un homme qui trouble l'ordre établi fait mécaniquement, par la

voie des sens, des impressions sur l'âme qui empêchent les méchants de risquer ce qui pourrait leur faire
mériter la même punition et que la peine que subit ce
malheureux pour son infraction doit contribuer au
bonheur général, qui est préférable dans tous les cas
au bien particulier[79]. J'ajoute encore que l'on ne peut
même trop noter d'infamie les parents, les amis et tous
ceux qui ont eu des habitudes avec un criminel, pour
engager, par ce trait de politique[80], tous les humains à
s'inspirer mutuellement entre eux de l'horreur pour
les actions, et pour les crimes qui peuvent troubler la
tranquillité publique ; tranquillité que notre disposition naturelle, que nos besoins, que notre bien-être
particulier nous portent sans cesse à enfreindre ; disposition enfin qui ne peut être absorbée dans l'homme
que par l'éducation ; qu'au moyen des impressions
qu'il reçoit dans l'âme, par la voie des autres hommes
qu'il fréquente ou qu'il voit habituellement, soit par le
bon exemple, soit par les discours ; en un mot par les
sensations externes, qui, jointes aux dispositions inté-
rieures, dirigent toutes les actions de notre vie. Il faut
donc aiguillonner, il faut nécessiter les hommes à
s'exciter entre eux à ces sensations utiles au bonheur
général.

« Je crois, madame, ajouta l'Abbé, que vous sentez
présentement ce que l'on doit entendre par le mot de
Nature. Je me propose de vous entretenir demain
matin de l'idée qu'on doit avoir des religions. C'est
une matière importante à notre bonheur ; mais il est
trop tard pour l'entamer aujourd'hui. Je sens que j'ai
besoin d'aller prendre mon chocolat.

– Je le veux, dit Madame C... en se levant. Monsieur le Philosophe a sans doute besoin d'une répara-
tion physique pour les pertes libidineuses que je lui ai
fait faire : cela est bien juste, continua-t-elle. Vous avez
fait et vous avez dit des choses admirables : rien de
mieux que vos observations sur la Nature ; mais
trouvez bon que je doute fort que vous puissiez me
faire voir aussi clair sur le chapitre des religions, que
vous avez touché diverses fois avec beaucoup moins

de succès. Comment donner en effet des démonstra-
tions dans une matière aussi abstraite et où tout est
article de foi ?

– C'est ce que nous verrons demain, répondit
l'Abbé.

– Oh ! Ne comptez pas en être quitte demain pour
des raisonnements, répliqua Madame C... Nous ren-
trerons, s'il vous plaît, de bonne heure dans ma
chambre, où j'aurai besoin de vous et de mon lit de
repos. »

Quelques instants après ils prirent l'un et l'autre le
chemin de la maison. Je les y suivis par une allée couverte. Je ne restai qu'un moment dans ma chambre
pour y changer de robe et je me rendis de suite dans
l'appartement de Madame C... où je craignais que
l'Abbé n'entamât encore l'article des religions que je
voulais absolument entendre ; celui de la Nature
m'avait frappée : je voyais clairement que Dieu et la
Nature n'étaient qu'une même chose[81], ou du moins
que la Nature n'agissait que par la volonté immédiate
de Dieu. De là je tirai mes petites conséquences et je
commençai peut-être à penser pour la première fois
de ma vie.

Je tremblais en entrant dans l'appartement de
Madame C... Il me sembla qu'elle devait s'apercevoir de l'espèce de perfidie que je venais de lui faire et
des diverses réflexions dont j'étais agitée. L'Abbé T...
me regardait attentivement ; je me crus perdue ; mais
bientôt je l'entendis qui disait à demi bas à
Madame C... : « Voyez si Thérèse n'est pas jolie ? Elle
a des couleurs charmantes ; ses yeux sont perçants et
sa physionomie devient tous les jours plus spirituelle. »
Je ne sais ce que Madame C... lui répondit ; ils sou-
riaient l'un et l'autre. Je fis semblant de n'avoir rien
entendu et j'eus grand soin de ne pas les quitter de
toute la journée.

En rentrant le soir dans ma chambre, je formai mon
plan pour le lendemain matin. La crainte où j'étais de
ne pas m'éveiller d'assez bonne heure fut cause que je
ne dormis point. Vers les cinq heures du matin, je vis

Madame C… gagner le bosquet où Monsieur T…
l'attendait déjà ; suivant ce que j'avais ouï la veille, elle
devait bientôt rentrer dans sa chambre à coucher où
était le lit de repos dont elle avait parlé. Je n'hésitai pas
de m'y couler et de me cacher dans la ruelle[82] de son
lit, où je m'assis sur le plancher, le dos appuyé contre
le mur à côté du chevet, j'avais le rideau du lit devant
moi, que je pouvais entrouvrir au besoin pour avoir en
entier le spectacle du petit lit qui était dans le coin
opposé de la chambre, où l'on ne pouvait pas dire un
mot sans que je l'entendisse.

Ainsi postée, l'impatience commençait à me faire
appréhender d'avoir manqué mon coup, lorsque mes
deux acteurs rentrèrent.

« Baise-moi comme il faut, mon cher ami, disait
Madame C… en se laissant tomber sur son lit de
repos. La lecture de ton vilain *Portier des Chartreux*
m'a mise tout en feu ; ses portraits sont frappés ; ils
ont un air de vérité qui charme ; s'il était moins ordurier, ce serait un livre inimitable dans son genre.
Mets-le-moi aujourd'hui, Abbé, je t'en conjure, ajouta-
t-elle ; j'en meurs d'envie et je consens d'en risquer
l'événement.

– Non pas moi, reprit l'Abbé, pour deux bonnes
raisons : la première, c'est que je vous aime et que je
suis trop honnête homme pour risquer votre réputation et vos justes reproches par cette imprudence ; la
seconde, c'est que Monsieur le Docteur n'est pas
aujourd'hui, comme vous voyez, dans son brillant ; je
ne suis pas Gascon et…

– Je le vois à merveille, reprit Madame C… Cette
dernière raison est si énergique que vous eussiez pu en
vérité vous dispenser de vous faire un mérite de la première. Çà, mets-toi donc du moins à côté de moi,
ajouta-t-elle en s'étendant lascivement sur le lit, et
chantons, comme tu dis, le petit office.

– Ah ! De tout mon cœur, ma chère maman », reprit
l'Abbé qui était alors debout, découvrant méthodique-
ment la gorge de madame. Ensuite il troussa sa robe et
sa chemise jusqu'au-dessus du nombril ; puis il lui

ouvrit les cuisses, en élevant tant soit peu ses genoux, de manière que ses talons, qui se rapprochaient quelque peu de ses fesses, étaient presque joints l'un à l'autre, appuyés sur les pieds du lit.

Dans cette attitude, en partie cachée pour moi par l'Abbé, qui baisait alternativement toutes les beautés du corps de sa chère maîtresse, Madame C… paraissait immobile, recueillie, méditant sur la nature des plaisirs dont elle sentait déjà les prémices ; ses yeux étaient à moitié fermés, la pointe de sa langue se montrait sur le bord de ses lèvres vermeilles et tous les muscles de son visage étaient dans une agitation voluptueuse. « Finis donc tes baisers, dit-elle à l'Abbé T… Ne vois-tu pas que je t'attends ? Je n'en puis plus… »

Le complaisant Directeur ne se fit pas répéter deux fois ce qu'on exigeait de lui. Il se glissa par le pied du lit entre Madame C… et la muraille, sa main gauche fut passée sous la tête de la tendre C… qu'il pressait, la baisant bouche à bouche avec les petits mouvements de langue les plus voluptueux. Son autre main fut occupée à l'action principale : elle caressait artistement, frottant cette partie qui distingue notre sexe et que Madame C… a très abondamment garnie d'un poil frisé et du plus beau noir. Le doigt de l'Abbé jouait ici le rôle le plus intéressant.

Jamais tableau ne fut placé dans un jour plus avantageux, eu égard à ma position. Le lit de repos était disposé de façon que j'avais pour point de vue la toison de Madame C… Au-dessous se montraient en partie ses deux fesses, agitées d'un mouvement léger de bas en haut, qui annonçait la fermentation[83] intérieure ; et ses cuisses, les plus belles, les plus rondes, les plus blanches qui se puissent imaginer, faisaient avec ses genoux un autre petit mouvement de droite et de gauche qui contribuait sans doute aussi à la joie de la partie principale que l'on fêtait et dont le doigt de l'Abbé, perdu dans la toison, suivait tous les mouvements.

J'entreprendrais inutilement, mon cher Comte, de vous dire ce que je pensais alors : je ne sentais rien pour trop sentir. Je devins machinalement le singe de ce que je voyais ; ma main faisait l'office de celle de l'Abbé ; j'imitais tous les mouvements de mon amie. « Ah ! Je me meurs, s'écria-t-elle tout à coup. Enfonce-le, mon cher Abbé, oui... bien avant, je t'en conjure ; pousse fort, pousse, mon petit. Ah ! Quel plaisir ! Je fonds... je... me... pâ... me ! »

Toujours parfaite imitatrice de ce que je voyais, sans réfléchir un instant à la défense de mon Directeur, j'enfonçai mon doigt à mon tour ; une légère douleur que je ressentis ne m'arrêta pas, je poussai de toute ma force et je parvins au comble de la volupté.

La tranquillité avait succédé aux emportements amoureux et je m'étais comme assoupie malgré ma situation gênante, lorsque j'entendis Madame C... s'approcher du lieu où j'étais cachée. Je me crus découverte ; mais j'en fus quitte pour la peur. Elle tira le cordon de sa sonnette et demanda du chocolat que l'on prit en faisant l'apologie des plaisirs qu'on venait de goûter.

« Pourquoi donc ne sont-ils pas entièrement innocents ? dit Madame C... Car vous avez beau dire qu'ils ne blessent point l'intérêt de la société ; que nous y sommes portés par un besoin aussi naturel à certains tempéraments, aussi nécessaire à soulager, que le sont les besoins de la faim et de la soif ; vous m'avez très bien démontré que nous n'agissons que par la volonté de Dieu, que la Nature n'est qu'un mot vide de sens et n'est que l'effet dont Dieu est la cause ; mais la religion, qu'en direz-vous ? Elle nous défend les plaisirs de concupiscence hors de l'état du mariage. Est-ce encore là un mot vide de sens ?

– Quoi, madame, répondit l'Abbé, vous ne vous souvenez donc pas que nous ne sommes point libres, que toutes nos actions sont déterminées nécessairement ? Et si nous ne sommes pas libres, comment pouvons-nous pécher[84] ? Mais entrons, puisque vous le voulez, sérieusement en matière sur le chapitre des

L'Abbé T… procure à son tour à Madame C… des plaisirs désintéressés.

religions. Votre discrétion, votre prudence me sont connues ; et je crains d'autant moins de m'expliquer, que je proteste devant Dieu de la bonne foi avec laquelle j'ai cherché à démêler la vérité de l'illusion. Voici le résumé de mes travaux et de mes réflexions sur cette importante matière.

« Dieu est bon, dis-je ; sa bonté m'assure que, si je cherche avec ardeur à connaître s'il est un culte véritable qu'il exige de moi, il ne me trompera pas ; je parviendrai à connaître évidemment ce culte, autrement Dieu serait injuste : il m'a donné la raison pour m'en servir, pour me guider[85] : à quoi puis-je mieux l'employer ?

« Si un Chrétien de bonne foi ne veut pas examiner sa religion, pourquoi voudra-t-il (ainsi qu'il l'exige) qu'un Mahométan de bonne foi examine la sienne ? Ils croient l'un et l'autre que leur religion leur a été révélée de la part de Dieu, l'une par Jésus-Christ, l'autre par Mahomet.

« La foi ne nous vient que parce que des hommes nous ont dit que Dieu a révélé de certaines vérités. Mais d'autres hommes en ont dit de même aux sectaires des autres religions : lesquels croire ? Pour le savoir, il faut donc examiner ; car tout ce qui vient des hommes doit être soumis à notre raison.

« Tous les auteurs des diverses religions répandues sur la terre se sont vantés que Dieu les leur avait révélées ; lesquels croire ? Examinons quelle est la véritable : mais comme tout est préjugé de l'enfance et de l'éducation, pour juger sainement, il faut commencer par faire un sacrifice à Dieu de tout préjugé et examiner ensuite avec le flambeau de la raison une chose de laquelle dépend notre bonheur ou notre malheur pendant notre vie et pendant l'éternité.

« J'observe d'abord qu'il y a quatre parties dans le monde ; que la vingtième partie, au plus, d'une de ces quatre parties est catholique ; que tous les habitants des autres parties disent que nous adorons un homme, du pain, que nous multiplions la Divinité ; que presque tous les Pères se sont contredits dans leurs écrits, ce qui prouve qu'ils n'étaient pas inspirés de Dieu[86].

« Tous les changements de religion, depuis Adam, faits par Moïse, par Salomon, par Jésus-Christ et ensuite par les Pères, démontrent que toutes ces religions ne sont que l'ouvrage des hommes. Dieu ne varie jamais ; il est immuable.

« Dieu est partout : cependant, l'Écriture sainte dit que Dieu chercha Adam dans le paradis terrestre : *Adam, ubi es* ? Que Dieu s'y promena[87], qu'il s'entretint avec le Diable au sujet de Job[88].

« La raison me dit que Dieu n'est sujet à aucune passion : cependant, dans la Genèse, chapitre 6, on fait dire à Dieu qu'il se repent d'avoir créé l'homme ; que sa colère n'a pas été inefficace[89]. Dieu paraît si faible, dans la religion chrétienne, qu'il ne peut pas réduire l'homme au point où il le voudrait : il le punit par l'eau, ensuite par le feu, l'homme est toujours le même ; il envoie des Prophètes, les hommes sont encore les mêmes ; il n'a qu'un fils unique, il l'envoie, le sacrifie ; cependant les hommes ne changent en rien. Que de ridicules la religion chrétienne donne à Dieu[90] !

« Chacun convient que Dieu sait ce qui doit arriver pendant l'éternité ; mais Dieu, dit-on, ne connaît ce qui doit résulter de nos actions qu'après avoir prévu que nous abuserions de ses grâces et que nous commettrions ces mêmes actions ; il résulte néanmoins de cette connaissance que Dieu, en nous faisant naître, savait déjà que nous serions infailliblement damnés et éternellement malheureux.

« On voit dans l'Écriture sainte que Dieu a envoyé des Prophètes pour avertir les hommes et les engager à changer de conduite. Or, Dieu qui sait tout, n'ignorait pas que les hommes ne changeraient point de conduite. Donc l'Écriture sainte suppose que Dieu est un trompeur. Ces idées peuvent-elles s'accorder avec la certitude que nous avons de la bonté infinie de Dieu ?

« On suppose à Dieu, qui est tout-puissant, un rival dangereux dans le Diable, qui lui enlève sans cesse malgré lui les trois quarts du petit nombre des hommes qu'il a choisis, pour lesquels son Fils s'est sacrifié, sans s'embarrasser du reste du genre humain. Quelles pitoyables absurdités [91] !

« Suivant la religion chrétienne, nous ne péchons que par la tentation : c'est le Diable, dit-on, qui nous tente. Dieu n'avait qu'à anéantir le Diable, nous serions tous sauvés : il y a bien de l'injustice ou de l'impuissance de sa part.

« Une assez grande partie des Ministres de la religion catholique prétend que Dieu nous donne des commandements, mais soutient qu'on ne saurait les accomplir sans la grâce, que Dieu donne à qui lui plaît [92] ; et que cependant Dieu punit ceux qui ne les observent pas ! Quelle contradiction ! Quelle impiété monstrueuse !

« Y a-t-il rien de si misérable que de dire que Dieu est vindicatif, jaloux, colère [93] ; de voir que les Catholiques adressent leurs prières aux Saints, comme si ces Saints étaient partout ainsi que Dieu, comme si ces Saints pouvaient lire dans les cœurs des hommes et les entendre ?

« Quelle ridiculité de dire que nous devons tout faire pour la plus grande gloire de Dieu [94] ! Est-ce que la gloire de Dieu peut être augmentée par l'imagination, par les actions des hommes ? Peuvent-ils augmenter quelque chose en lui ? Ne se suffit-il pas à lui-même ?

« Comment des hommes ont-ils pu s'imaginer que la Divinité se trouvait plus honorée, plus satisfaite, de leur voir manger un hareng qu'une mauviette [95], une soupe à l'oignon qu'une soupe au lard, une sole qu'une perdrix et que cette même Divinité les damnerait éternellement si dans certains jours ils donnaient la préférence à la soupe au lard ?

« Faibles mortels ! Vous croyez pouvoir offenser Dieu ! Pourriez-vous seulement offenser un Roi, un Prince, qui seraient raisonnables ? Ils mépriseraient votre faiblesse et votre impuissance. On vous annonce un Dieu vengeur et on vous dit que la vengeance est un crime. Quelle contradiction ! On vous assure que pardonner une offense est une vertu ; et on ose vous dire que Dieu se venge d'une offense involontaire par une éternité de supplices !

« S'il y a un Dieu, dit-on, il y a un culte. Cependant avant la création du monde, il faut convenir qu'il y avait un Dieu et point de culte. D'ailleurs depuis la création il y a des bêtes qui ne rendent aucun culte à Dieu. S'il n'y avait point d'hommes, il y aurait toujours un Dieu, des créatures et point de culte. La manie des hommes est de juger des actions de Dieu par celles qui leur sont propres.

« La religion chrétienne donne une fausse idée de Dieu ; car la justice humaine, selon elle, est une émanation de la justice divine. Or nous ne pourrions, suivant la justice humaine, que blâmer les actions de Dieu envers son Fils, envers Adam, envers les peuples à qui on n'a jamais prêché, envers les enfants qui meurent avant le Baptême.

« Suivant la religion chrétienne il faut tendre à la plus grande perfection. L'état de virginité, suivant elle, est plus parfait que celui du mariage ; or il est évident que la perfection de la religion chrétienne tend à la destruction du genre humain. Si les efforts, les discours des Prêtres réussissaient, dans soixante ou quatre-vingts ans le genre humain serait détruit. Cette religion peut-elle être de Dieu ?

« Est-il rien de si absurde que de faire prier Dieu pour soi par des Prêtres, par des Moines, par d'autres personnes ? On juge de Dieu comme on juge des Rois[96].

« Quel excès de folie de croire que Dieu nous a fait naître pour que nous ne fassions que ce qui est contrenature, que ce qui peut nous rendre malheureux dans ce monde, en exigeant que nous nous refusions tout ce qui satisfait les sens, les appétits qu'il nous a donnés ! Que pourrait faire de plus un tyran acharné à nous persécuter depuis l'instant de la naissance jusqu'à celui de notre mort ?

« Pour être parfait chrétien, il faut être ignorant, croire aveuglément, renoncer à tous les plaisirs, aux honneurs, aux richesses, abandonner ses parents, ses amis, garder sa virginité, en un mot faire tout ce qui est contraire à la Nature. Cependant cette Nature n'opère sûrement que par la volonté de Dieu. Quelle contrariété la religion suppose dans un Être infiniment juste et bon !

« Puisque Dieu est le créateur et le maître de toutes choses, nous devons les employer toutes à l'usage pour lequel il les a faites et nous en servir suivant la fin qu'il s'est proposée en les créant ; autant que par raison, par les sentiments intérieurs qu'il nous a donnés, nous pouvons connaître son dessein et son but et les concilier avec l'intérêt de la société établie parmi les hommes dans le pays que nous habitons.

« L'homme n'est pas fait pour être oisif : il faut qu'il s'occupe à quelque chose qui ait pour but son avantage particulier, concilié avec le bien général. Dieu n'a pas voulu seulement le bonheur de quelques particuliers ; il veut le bonheur de tous. Nous devons donc nous rendre mutuellement tous les services possibles, pourvu que ces services ne détruisent pas quelques branches de la société établie : c'est ce dernier point qui doit diriger nos actions[97]. En conservant, dans ce que nous faisons, notre état, nous remplissons tous nos devoirs ; le reste n'est que chimère, qu'illusion, que préjugés.

« Toutes les religions, sans en excepter aucune, sont l'ouvrage des hommes ; il n'y en a point qui n'ait eu ses martyrs, ses prétendus miracles. Que prouvent de plus les nôtres que ceux des autres religions ?

« Les religions ont d'abord été établies par la crainte : le tonnerre, les orages, les vents, la grêle, détruisaient les fruits, les grains qui nourrissaient les premiers hommes répandus sur la surface de la Terre. Leur impuissance à parer ces événements les obligea à avoir recours aux prières envers ce qu'ils reconnaissaient être plus puissant qu'eux et qu'ils croyaient disposé à les tourmenter. Par la suite, des hommes ambitieux, de vastes génies, de grands politiques, nés dans différents siècles, dans diverses régions, ont tiré parti de la crédulité des peuples, ont annoncé des Dieux souvent bizarres, fantasques, tyrans ; ont établi des cultes, ont entrepris de former des sociétés dont ils puissent devenir les chefs, les législateurs ; ils ont reconnu que, pour maintenir ces sociétés, il était nécessaire que chacun de leurs membres sacrifiât souvent ses passions, ses plaisirs particuliers au bonheur des autres. De là la nécessité de faire envisager un équivalent de récompenses à espérer et de peines à craindre qui déterminassent à faire ces sacrifices. Ces politiques imaginèrent donc les religions[98]. Toutes promettent des récompenses et annoncent des peines, qui engagent une grande partie des hommes à résister au penchant naturel qu'ils ont de s'approprier le bien, la femme, la fille d'autrui ; de se venger, de médire, de noircir la réputation de son prochain, afin de rendre la sienne plus saillante. L'honneur fut associé par la suite aux religions. Cet Être, aussi chimérique qu'elles, aussi utile au bonheur des sociétés et à celui de chaque particulier, fut imaginé pour contenir dans les mêmes bornes et par les mêmes principes, un certain nombre d'autres hommes.

« Il y a un Dieu, créateur et moteur de tout ce qui existe, n'en doutons point. Nous faisons partie de ce tout et nous n'agissons qu'en conséquence des premiers principes du mouvement que Dieu lui a donné. Tout est combiné et nécessaire, rien n'est produit par le hasard. Trois dés, poussés par un joueur, doivent infailliblement donner tel ou tel point, eu égard à l'arrangement des dés dans son cornet, à la force et au mouvement donné. Le coup de dés est le tableau de toutes les actions de notre vie. Un dé en pousse un autre, auquel il imprime un mouvement nécessaire ; et de mouvement en mouvement, il résulte physiquement un tel point. De même l'homme, par son premier mouvement, par sa première action, est déterminé invinciblement à une seconde, à une troisième, etc. Car dire que l'homme veut une chose parce qu'il la veut, c'est ne rien dire, c'est supposer que le néant produit un effet. Il est évident que c'est un motif, une raison qui le détermine à vouloir cette chose ; et de raisons en raisons, qui sont déterminées les unes par les autres, la volonté de l'homme est invinciblement nécessitée de faire telles et telles actions pendant tout le cours de sa vie, dont la fin est celle du coup de dés.

« Aimons Dieu, non pas qu'il l'exige de nous mais parce qu'il est souverainement bon ; et ne craignons que les hommes et leurs lois. Respectons ces lois, parce qu'elles sont nécessaires au bien public, dont chacun de nous fait partie.

« Voilà, madame, ajouta l'Abbé T..., ce que mon amitié pour vous m'a arraché sur le chapitre des religions. C'est le fruit de vingt années de travail, de veilles et de méditations, pendant lesquelles j'ai cherché de bonne foi à distinguer la vérité du mensonge.

« Concluons donc, ma chère amie, que les plaisirs que nous goûtons vous et moi sont purs, sont innocents, puisqu'ils ne blessent ni Dieu, ni les hommes, par le secret et la décence que nous mettons dans notre conduite. Sans ces deux conditions, je conviens que nous causerions du scandale et que nous serions criminels envers la société : notre exemple pourrait séduire de jeunes cœurs destinés par leurs familles, par leur naissance, à des emplois utiles au bien public, dont ils négligeraient peut-être de se charger pour ne suivre que le torrent des plaisirs.

– Mais, répliqua Madame C..., si nos plaisirs sont innocents, comme je le conçois présentement, pourquoi au contraire ne pas instruire tout le monde de la manière d'en goûter du même genre ? Pourquoi ne pas communiquer le fruit que vous avez tiré de vos méditations métaphysiques, à nos amis, à nos concitoyens, puisque rien ne pourrait contribuer davantage à leur tranquillité et à leur bonheur ? Ne m'avez-vous pas dit cent fois qu'il n'y a pas de plus grand plaisir que celui de faire des heureux ?

– Je vous ai dit vrai, madame, reprit l'Abbé ; mais gardons-nous bien de révéler aux sots des vérités qu'ils ne sentiraient pas, ou desquelles ils abuseraient. Elles ne doivent être connues que par des gens qui savent penser et dont les passions sont tellement en équilibre entre elles, qu'ils ne sont subjugués par aucune. Cette espèce d'hommes et de femmes est très rare ; de cent mille personnes, il n'y en a pas vingt qui s'accoutument à penser ; et de ces vingt, à peine en trouverez-vous quatre qui pensent en effet par elles-mêmes, ou qui ne soient pas emportées par quelque passion dominante. De là il faut être extrêmement circonspect sur le genre de vérités que nous avons examinées aujourd'hui. Comme peu de personnes aperçoivent la nécessité qu'il y a de s'occuper du bonheur de ses voisins pour s'assurer de celui que l'on cherche soi-même[99], on doit donner à peu de personnes des preuves claires de l'insuffisance des religions, qui ne laissent pas de faire agir et de retenir un grand nombre d'hommes dans leurs devoirs et dans l'observation des règles qui, dans le fond, ne sont utiles qu'au bien de la société, sous le voile de la religion, par la crainte des peines et l'espérance des récompenses éternelles qu'elle leur annonce. Ce sont cette crainte et cette espérance qui guident les faibles : le nombre en est grand ; ce sont l'honneur, les lois humaines, l'intérêt public, qui guident les gens qui pensent : le nombre en est en vérité bien petit. »

Dès que Monsieur l'Abbé T... eut cessé de parler, Madame C... le remercia dans des termes qui marquaient toute sa satisfaction. « Tu es adorable, mon cher ami ! lui dit-elle, en lui sautant au col. Que je me trouve heureuse de connaître, d'aimer un homme qui pense aussi sainement que toi ! Sois assuré que je n'abuserai jamais de ta confiance et que je suivrai exactement la solidité de tes principes. »

Après quelques baisers qui furent encore donnés de part et d'autre et qui m'ennuyèrent beaucoup, à cause de la situation gênante où j'étais, mon pieux Directeur et sa docile Prosélyte descendirent dans la salle où l'on avait coutume de s'assembler. Je gagnai promptement ma chambre, où je m'enfermai. Un instant après, on vint m'appeler de la part de Madame C... Je lui fis dire que je n'avais pas dormi de toute la nuit et que je la priais de me laisser reposer encore quelques heures. J'employai ce temps à mettre par écrit tout ce que je venais d'entendre.

Nos jours s'écoulaient dans cette campagne en témoignages réciproques d'amitié, lorsque ma mère vint subitement un matin m'annoncer que notre voyage de Paris était fixé pour le lendemain. Nous dînâmes encore ma mère et moi chez l'aimable Madame C..., que je quittai en versant un torrent de larmes. Cette femme adorable, peut-être unique dans son espèce, m'accabla de caresses et me donna les conseils les plus sages, sans y mêler des petitesses accablantes et inutiles. L'Abbé T... était allé dans une ville voisine où il devait passer huit jours. Je ne le vis point. Nous retournâmes coucher à Volnot. Tout était préparé pour notre voyage. Nous nous mîmes le lendemain dans une chaise qui nous voitura jusqu'à Lyon, d'où la diligence nous conduisit à Paris.

J'ai dit que ma mère s'était déterminée à faire ce voyage, parce qu'il lui était dû une somme considérable par un marchand de sa connaissance et que du paiement de cette somme dépendait toute notre fortune. D'autre part ma mère était endettée, son commerce languissait. Avant de partir de Volnot, elle avait laissé toutes ses affaires entre les mains d'un avocat son parent, qui acheva de les perdre. Ma mère apprit que tout était saisi chez elle, le même jour que, pour comble d'infortune, on vint lui annoncer que son débiteur de Paris, obéré et pressé trop vivement par une multitude de créanciers, venait de faire une banqueroute frauduleuse et complète. On ne résiste pas à tant de chagrins à la fois ; ma mère y succomba, une fièvre maligne l'emporta en huit jours.

Me voilà donc au milieu de Paris, livrée à moi-même, sans parents, sans amis, jolie, à ce qu'on me disait, instruite à bien des égards, mais sans connaissance des usages du monde [100].

Ma mère, avant de mourir, m'avait remis une bourse dans laquelle je trouvai quatre cents louis d'or : étant d'ailleurs assez bien en linge et en habits, je me croyais riche. Mon premier mouvement fut cependant de me jeter dans un monastère et de me faire religieuse. Mais les réflexions que je fis sur ce que j'avais souffert autrefois dans un pareil gîte, jointes aux conseils d'une dame ma voisine, avec qui j'avais ébauché un commencement de connaissance, me détournèrent de ce fatal dessein.

Cette dame, qui se nommait *Bois-Laurier*, avait un appartement à côté de celui que j'occupais dans un hôtel garni. Elle eut la complaisance de ne me presque point quitter pendant le premier mois qui suivit la mort de ma mère et je lui dois une reconnaissance éternelle des soins qu'elle se donna pour soulager l'affliction dont j'étais accablée. [Madame de Bois-Laurier était, comme vous l'avez su, une de ces femmes que la nécessité avait contrainte pendant sa jeunesse de servir au soulagement de l'incontinence du Public libertin et qui, à l'exemple de tant d'autres, jouait alors *incognito* le rôle d'honnête femme, à l'aide d'une rente viagère qu'elle s'était assurée de l'épargne de ses premiers travaux.]

Cependant l'affliction qui me dévorait fit place aux réflexions. L'avenir me fit peur : je m'en ouvris à mon amie ; je lui confiai l'état de mes finances et ce que j'envisageais d'affreux dans ma situation. Elle avait un esprit solide et affermi par l'expérience. « Que vous êtes peu sage, me dit-elle un matin, de vous inquiéter aussi vivement d'un avenir qui n'est pas plus certain pour les plus riches que pour les plus pauvres et qui doit vous paraître moins critique qu'à un autre ! Est-ce qu'avec du mérite, une taille, une mine comme celle que vous portez là, une fille est jamais embarrassée, pour peu qu'elle y joigne de prudence et de conduite ? Non, mademoiselle ; ne vous inquiétez point : je vous trouverai ce qu'il vous faut, peut-être même un bon mari ; car il me paraît que votre manie est de vouloir tâter du Sacrement. Hélas, ma pauvre enfant ! Vous ne connaissez guère la juste valeur de ce que vous désirez là ; enfin, laissez-moi faire : une femme de quarante ans, qui a l'expérience d'une de cinquante, sait ce qui convient à une fille comme vous. Je vous servirai de mère, ajouta-t-elle, et de chaperon pour paraître dans le monde : dès aujourd'hui je vous présenterai à mon oncle B... qui doit venir me voir ; c'est un riche Financier, un honnête homme, qui vous trouvera bientôt un bon parti. »

Je sautai au cou de la Bois-Laurier que je remerciai de tout mon cœur et j'avoue de bonne foi que le ton d'assurance avec lequel elle me parlait me persuada que ma fortune était certaine.

Qu'une fille sans expérience, avec beaucoup d'amour-propre, est sotte ! Les leçons de l'Abbé T... m'avaient bien dessillé les yeux sur le rôle que nous devons jouer ici-bas eu égard à Dieu et aux lois des hommes ; mais je n'avais aucune espèce de connaissance de l'usage du monde. Tout ce que je voyais, ce qu'on me disait, me paraissait rempli de la probité que j'avais trouvée dans Madame C... et dans l'Abbé T... et je croyais le seul Dirrag un méchant homme. Pauvre innocente ! Que je me trompais grossièrement !

Le Financier B... arriva chez Madame Bois-Laurier, vers les cinq heures du soir. On employa sans doute les premiers quarts d'heure de cette visite à tout autre chose qu'à s'entretenir de moi. La Nièce était trop fine pour ne pas mettre l'Oncle dans un état de tranquillité qui ne lui laissât rien à redouter de l'effet de mes charmes, qu'elle disait être dangereux. La besogne fut longue. Vers les sept heures je fus présentée à Monsieur B..., à qui je fis, en entrant, une profonde révérence sans qu'il daignât se lever. Il me fit asseoir cependant sur une chaise à côté d'un fauteuil dans lequel il était à demi couché, poussant un gros ventre en avant, qui n'était couvert que de sa chemise [101] ; et il me reçut avec l'air et les manières de la plupart des gens de son état : tout m'en parut néanmoins admirable, jusqu'aux louanges qu'il donna à la fermeté de ma cuisse, sur laquelle il appuya brutalement sa main en serrant de toute sa force, au point de me faire jeter un cri. « Ma nièce m'a parlé de vous », me dit-il, sans faire attention à la douleur qu'il m'avait causée. « Comment, diable ! Vous avez des yeux, des dents, une cuisse dure ! Oh ! Nous ferons quelque chose de vous. Dès demain je vous fais dîner avec un de mes confrères qui a de l'or plein cette chambre ; je connais son humeur, il sera d'abord amoureux [102] : ménagez-le, je vous réponds que c'est un bon vivant, dont vous serez contente. Adieu, mes chers enfants », ajouta-t-il en se levant et boutonnant sa veste, « embrassez-moi toutes deux, et me regardez comme votre père. Toi, ma nièce, envoie dire à ma petite maison qu'on nous y prépare à dîner. »

Aussitôt que notre Financier fut sorti, Madame Bois-Laurier me témoigna combien elle était charmée qu'il m'eût trouvée de son goût. « C'est un homme sans façon, me dit-elle, un cœur excellent et un ami essentiel. Laissez-moi faire : j'ai pris pour vous une sincère amitié ; suivez seulement mes conseils, surtout ne faisons pas la bégueule et je vous réponds de votre fortune. »

Je soupai avec mon nouveau Mentor qui sonda adroitement quelle était ma façon de penser et la conduite que j'avais tenue jusqu'alors.

Son épanchement de cœur pour moi excita le mien. Je jasai plus que je ne voulais. On fut d'abord alarmée d'apprendre que je n'avais jamais eu d'amant ; mais on se rassura dès qu'on fut persuadée, par les réponses qu'on m'arracha finement, que je connaissais la valeur des plaisirs de l'amour et que j'en avais tiré un honnête parti. La Bois-Laurier me baisa, me caressa ; elle fit tout ce qu'elle put pour m'engager à coucher avec elle. Je la remerciai et je rentrai chez moi, l'esprit très occupé de la bonne fortune qui m'attendait.

Les Parisiennes sont vives et caressantes. Dès le lendemain matin, mon obligeante voisine vint me proposer de me friser, de me servir de femme de

chambre, de faire ma toilette. Mais le deuil de ma
mère m'empêcha d'accepter ses offres et je restai dans
mon petit bonnet de nuit. La curieuse Bois-Laurier
me fit mille polissonneries et parcourut tous mes
charmes, des yeux et de la main, en me donnant une
chemise qu'elle voulut me passer elle-même.

« Mais, coquine ! me dit-elle par réflexion [103] ; je
crois que tu prends ta chemise sans avoir fait la toilette
à ton minon ! Où est donc ton bidet ?

– Je ne sais, en vérité, répondis-je, ce que vous
voulez me dire avec votre *bidet* [104].

– Comment, dit-elle, point de bidet ! Garde-toi bien
de te vanter d'avoir manqué d'un meuble qui est aussi
nécessaire à une fille du bon air [105] que sa propre chemise. Pour aujourd'hui, je veux bien te prêter le mien,
mais demain, sans plus tarder, songe à l'emplette d'un
bidet. »

Celui de la Bois-Laurier fut donc apporté ; elle me
campa dessus et malgré tout ce que je pus dire et faire,
cette femme officieuse, tout en riant comme une folle,
lava elle-même abondamment ce qu'elle nommait
mon *minon*. L'eau de lavande ne lui fut pas épargnée.
Que je soupçonnais peu la fête qui lui était préparée et
le motif de cet exact *lavabo* [106] !

Vers le midi, un honnête fiacre nous conduisit à la
petite maison [107] de Monsieur B... où il nous attendait
avec Monsieur R..., son confrère et son ami. Celui-ci
était un homme de trente-huit à quarante ans, d'une
figure assez passable, richement habillé, affectant de
montrer tour à tour ses bagues, ses tabatières, ses
étuis, jouant l'homme d'importance. Il daigna néanmoins s'approcher de moi, et me prenant par les
mains en me considérant attentivement face à face :

« Elle est parbleu jolie ! s'écria-t-il, d'honneur elle
est charmante, et je veux en faire ma petite femme.

– Oh ! Monsieur, vous me faites bien de l'honneur,
répliquai-je, et si...

– Non, non, reprit-il, ne vous embarrassez de rien,
j'arrangerai tout cela de façon que vous serez
contente. »

On annonça qu'on avait servi, on se mit à table. La Bois-Laurier, qui connaissait le jargon, les propos usités dans ces sortes de repas, y fut charmante. Elle eut beau m'agacer, j'étais totalement déplacée, je ne disais mot, ou si je parlais, c'était dans des termes qui parurent si maussades aux deux Financiers, que la première vivacité de R... se perdit : il me regardait avec des grands yeux qui annonçaient l'idée qu'il concevait de mon esprit : on ne paraît ordinairement en avoir qu'avec les personnes qui pensent et qui agissent comme nous. Cependant quelques verres de vin de Champagne réparèrent bientôt dans l'imagination de R... les torts que la stérilité de ma conversation y avaient faits. Il devint plus pressant et moi plus docile. Son air d'aisance m'en imposa : ses mains larronnesses voltigeaient un peu partout et la crainte de manquer à des égards que je croyais d'usage m'empêchait d'oser lui en imposer sérieusement. Je me croyais d'autant plus autorisée à laisser aller les choses leur train que je voyais sur un sopha [108], à l'autre bout de la salle, Monsieur B... parcourant encore un peu plus cavalièrement les appas de Madame sa Nièce. Enfin je me défendis si mal des petites entreprises de R... qu'il ne douta pas de réussir, s'il en tentait de plus sérieuses. Il me proposa de passer sur un lit de repos qui faisait face au sopha. « Je le veux bien, monsieur, lui dis-je bonnement ; je pense que nous serons mieux, et je crains que vous ne vous fatiguiez trop dans la situation où vous êtes là, à mes genoux (il venait en effet de s'y mettre). » Aussitôt, il se lève et me porte sur le petit lit.

Dans ce mouvement, je m'aperçus que Monsieur B... et sa Nièce sortaient de l'appartement ; je voulus me relever pour les suivre, mais l'entreprenant R..., me disant en quatre mots qu'il m'aimait à la folie et qu'il voulait faire ma fortune, avait troussé d'une main ma chemise jusqu'à la ceinture et de l'autre sortait de sa culotte un membre raide et nerveux ; son genou était passé entre mes cuisses qu'il ouvrait le plus qu'il lui était possible et il se disposait à assouvir sa brutalité,

lorsque, portant les yeux sur le monstre dont j'étais
menacée, je reconnus qu'il avait à peu près la même
physionomie que le goupillon dont le Père Dirrag se
servait pour chasser l'esprit immonde du corps de ses
Pénitentes. Je me souvins, en ce moment, de tout le
danger que Monsieur l'Abbé T… m'avait fait envisager
dans la nature de l'opération dont j'étais menacée. Ma
docilité se changea sur-le-champ en fureur ; je saisis le
redoutable R… à la cravate et, le bras tendu, je le tins
dans une posture qui le mit hors d'état de prendre celle
qu'il s'efforçait de gagner. Alors, tenant la vue fixée, de
peur de surprise, sur la tête de l'ennemi dont je craignais
l'enflure, j'appelai de toutes mes forces à mon secours
Madame Bois-Laurier, qui, de moitié ou non des projets de R…, ne put se dispenser d'accourir et de blâmer
son procédé. Furieuse de l'affront que je venais de recevoir de la part de R…, j'étais au moment de lui arracher
les yeux ; je lui reprochais sa témérité dans les termes
les plus vifs. B… avait joint la Bois-Laurier : tous deux
ensemble ne retenaient qu'avec peine les efforts que je
faisais pour leur échapper et tomber sur R…, lorsque
celui-ci, après avoir remis tranquillement le meuble
critique dans son gîte, rompit tout à coup le silence
par un éclat de rire désordonné. « Parbleu, la petite
provinciale ! » dit-il en affectant le mauvais plaisant,
« Convenez que je vous ai fait grand-peur : vous avez
donc cru sérieusement que je voulais… ? Oh ! La singulière chose qu'une fille de province, qui n'a pas le
soupçon des usages du beau monde ! Imagine-toi, mon
cher B…, continua-t-il, que j'ai couché Mademoiselle
sur le lit, j'ai levé ses jupes, je lui ai montré mon… La
petite bégueule ne s'est-elle pas imaginé qu'il y avait
quelque chose d'irrégulier dans ce procédé ? Elle fait *du
lutin*[109] ; vous êtes venus ; voilà toute l'histoire qui met
cette belle enfant dans les convulsions que vous voyez :
n'y a-t-il pas là de quoi mourir de rire ? » ajouta-t-il en
redoublant ses éclats. « Mais, la Bois-Laurier ! reprit-il
tout à coup avec un grand sérieux, je vous prie de ne
plus me mettre avec de pareilles sottes ; je ne suis point
fait pour être maître d'école, ni professeur de civilité ; et

Un Financier tente de violer Thérèse.

vous ferez fort bien d'apprendre à vivre à Mademoiselle, avant de la présenter en compagnie de gens
comme B... et moi. »

Les bras, je vous l'avoue, m'étaient tombés pendant
cette singulière harangue. J'écoutais R... la bouche
béante ; je le regardais avec des yeux hébétés et je ne
disais mot.

B... disparut avec R... sans que, pour ainsi dire, je
m'en aperçusse et je restai comme une stupide entre
les bras de la Bois-Laurier, qui marmottait aussi entre
ses dents certains petits mots qui visaient à me faire
entendre que je ne laissais pas d'avoir quelque tort.
Nous montâmes dans notre fiacre et nous retournâmes chez nous.

Je ne résistai pas longtemps à l'agitation de mes
sens. En arrivant, je versai un torrent de larmes. Ma
chaste compagne, qui n'était pas tranquille sur les
idées qui me resteraient de mon aventure, ne me quitta
point. Elle chercha à me persuader que les hommes
étaient toujours curieux de sonder jusqu'à quel point
une fille qu'ils ont en vue d'épouser connaît les plaisirs
de l'amour. La conclusion de ce beau raisonnement fut
que la prudence aurait dû m'engager à affecter plus
d'ignorance et qu'elle voyait avec chagrin que ma vivacité m'avait peut-être fait manquer ma fortune. Je lui
répondis avec feu que je n'étais pas assez peu instruite
pour ignorer ce que l'indigne R... voulait faire de moi.
J'ajoutai assez sèchement que la plus haute fortune ne
me tenterait jamais à ce prix-là. Emportée par mon agitation, je lui contai ensuite ce que j'avais vu du Père
Dirrag et de Mademoiselle Éradice, les leçons que
j'avais reçues à ce sujet de Monsieur l'Abbé T... et de
Madame C... Enfin, de propos en propos, la rusée
Bois-Laurier sut tirer de moi toute mon histoire. Ce
détail [110] la fit changer de ton ; si je lui avais paru peu
instruite des manières, des usages du monde, elle ne fut
pas peu surprise de mes lumières dans la morale, la
métaphysique et la religion.

La Bois-Laurier a le cœur excellent. « Que je suis
enchantée, me dit-elle en m'embrassant étroitement,

de connaître une fille telle que toi ! Tu viens de me dessiller les yeux sur des mystères qui faisaient tout le malheur de ma vie : les réflexions que je ne cessais de faire sur ma conduite passée en troublaient le repos. Qui est-ce qui devait plus appréhender que moi les châtiments dont on nous menace pour des crimes que tu m'as démontré être involontaires ? Le commencement de ma vie a été un tissu d'horreurs ; mais quoiqu'il en coûte à mon amour-propre, je te dois confidence pour confidence, leçon pour leçon. Écoute donc, ma chère Thérèse, le récit de mes aventures, en t'instruisant des caprices des hommes, qu'il est bon que tu connaisses pour contribuer aussi à te confirmer qu'en effet le vice et la vertu dépendent du tempérament et de l'éducation. » Et tout de suite cette femme commença ainsi son histoire.

FIN DE LA PREMIÈRE PARTIE

TABLE DES MATIÈRES
DE LA PREMIÈRE PARTIE

Monsieur l'Abbé T… prouve que les plaisirs de la petite oie sont licites à tous égards.

Définition de ce qu'on doit entendre par le mot de « Nature ».

Pourquoi les méchants doivent être punis.

L'Abbé T… procure à son tour à Madame C… des plaisirs désintéressés.

Thérèse franchit la barrière et perd sa virginité, en oubliant les défenses de son Directeur.

Examen des religions par les lumières naturelles.

Origine des religions.

Origine de l'honneur.

La vie de l'homme est comparée à un coup de dés.

Madame C… entreprend de persuader à l'Abbé T… que pour le bonheur de la société, il doit communiquer ses lumières au public.

Raison qu'apporte l'Abbé T… pour s'en dispenser.

Thérèse part pour Paris avec sa mère, qui y meurt de chagrin.

Thérèse se lie d'amitié avec Madame Bois-Laurier, ancienne Courtisane retirée du service.

Utilité des bidets.

Thérèse est conduite par la Bois-Laurier dans une petite maison, où elle échappe d'être violée par un Financier.

FIN DE LA TABLE DE LA PREMIÈRE PARTIE

SECONDE PARTIE

HISTOIRE DE MADAME BOIS-LAURIER

«Tu vois en moi, ma chère Thérèse, un être singulier [1]. Je ne suis ni homme, ni femme, ni fille, ni veuve, ni mariée. J'ai été une libertine de profession et je suis encore pucelle. Sur un pareil début, tu me prends sans doute pour une folle ; un peu de patience, je te prie, tu auras le mot de l'énigme. La Nature, capricieuse à mon égard, a semé d'obstacles insurmontables la route des plaisirs qui font passer une fille de son état à celui de femme : une membrane nerveuse en ferme l'avenue avec assez d'exactitude pour que le trait le plus délié que l'Amour ait jamais eu dans son carquois n'ait pu atteindre le but ; et ce qui te surprendra davantage, on n'a jamais pu me déterminer à subir l'opération qui pouvait me rendre habile aux plaisirs, quoique pour vaincre ma répugnance on me citât à chaque instant l'exemple d'une infinité de filles qui, dans le même cas, s'étaient soumises à cette épreuve. Destinée dès ma plus tendre enfance à l'état de courtisane, ce défaut, qui semblait devoir être l'écueil de ma fortune dans ce honteux métier, en a été au contraire le principal mobile. Tu comprends donc que lorsque je t'ai dit que mes aventures t'instruiraient des caprices des hommes, je n'ai pas entendu parler des différentes attitudes que la volupté leur fait varier, pour ainsi dire, à l'infini, dans leurs embrassements réels avec les femmes : toutes les nuances des attitudes galantes ont été traitées avec tant d'énergie par le célèbre Pierre Arétin, qui vivait dans le quinzième siècle, qu'il n'en reste rien à dire aujourd'hui [2]. Il n'est donc question, dans ce que j'ai à t'apprendre, que de ces goûts de fantaisie, de ces complaisances bizarres [3], que quantité d'hommes exigent de nous et qui, par prédilection ou par certain défaut de conformation, leur tiennent lieu d'une jouissance parfaite. J'entre présentement en matière.

« Je n'ai jamais connu mon père ni ma mère. Une femme de Paris, nommée la Lefort, logée bourgeoisement, chez laquelle j'avais été élevée comme étant sa fille, me tira un jour mystérieusement en particulier, pour me dire ce que tu vas entendre (j'avais alors quinze ans).

"Vous n'êtes point ma fille, me dit Madame Lefort : il est temps que je vous instruise de votre état. À l'âge de six ans, vous étiez égarée dans les rues de Paris ; je vous ai retirée chez moi, nourrie et entretenue charitablement jusqu'à ce jour, sans avoir jamais pu découvrir quels sont vos parents, quelques soins que je me sois donnés pour cela.

"Vous avez dû vous apercevoir que je ne suis pas riche, quoique je n'aie rien négligé pour votre éducation. C'est à vous présentement à être vous-même l'instrument de votre fortune. Voici, ajouta-t-elle, ce qui me reste à vous proposer pour y parvenir. Vous êtes bien faite, jolie, plus formée que ne l'est ordinairement une fille de votre âge ; Monsieur le Président de …, mon protecteur et mon voisin, est amoureux de vous : il s'est déterminé à vous faire plaisir et à vous entretenir honnêtement, pourvu que, de votre part, vous ayez pour lui toutes les complaisances qu'il exigera de vous. Voyez, Manon [4], ce que vous voulez que je lui dise ; mais je ne dois pas vous taire que si vous n'acceptez pas sans restriction les offres qu'il m'a chargée de vous faire, il faut vous déterminer à quitter ma maison dès aujourd'hui, parce que je suis hors

d'état de vous nourrir et de vous habiller plus longtemps.''

« Cette confidence accablante et la conclusion de
Madame Lefort qui l'accompagnait, me glacèrent
d'effroi. J'eus recours aux larmes. Point de quartier ; il
fallut me décider. Après quelques explications préliminaires, je promis de faire tout ce qu'on exigeait ; au
moyen de quoi Madame Lefort m'assura qu'elle me
conserverait toujours les soins et le doux nom de
mère[5].

« Le lendemain matin elle m'instruisit amplement
des devoirs de l'état que j'allais embrasser et des procédés particuliers qu'il convenait que j'eusse avec
Monsieur le Président. Ensuite elle me fit mettre toute
nue, me lava le corps du haut en bas, me frisa, me
coiffa et me revêtit d'habits beaucoup plus propres
que ceux que j'avais coutume de porter.

« À quatre heures après midi, nous fûmes introduites
chez Monsieur le Président. C'était un grand homme
sec, dont le visage jaune et ridé était enfoui dans une
très longue et très ample perruque carrée. Ce respec-
table personnage, après nous avoir fait asseoir, dit gravement, en adressant la parole à ma mère : "Voilà
donc la petite personne en question ? Elle est assez
bien : je vous avais toujours dit qu'elle avait des dispositions à devenir jolie et bien faite ; et jusqu'à présent
ce n'est pas de l'argent mal employé ; mais êtes-vous
sûre au moins qu'elle a son pucelage ? ajouta-t-il.
Voyons un peu, Madame Lefort." Aussitôt ma bonne
mère me fit asseoir sur le bord d'un lit ; et me cou-
chant renversée sur le dos, elle releva ma chemise et se
disposait à m'ouvrir les cuisses, lorsque Monsieur le
Président lui dit d'un ton brusque :

"Eh ! Ce n'est pas cela, madame ; les femmes ont
toujours la manie de montrer des devants ; eh, non !
Faites tourner...

– Ah ! Monseigneur, je vous demande pardon,
s'écria ma mère ; je croyais que vous vouliez voir...
Çà, levez-vous, Manon, me dit-elle ; mettez un genou

sur cette chaise et inclinez le corps le plus que vous pourrez."

« Moi, semblable à une victime, les yeux baissés, je fis ce qu'on me prescrivait. Ma digne mère me troussa dans cette attitude jusqu'aux hanches ; et Monsieur le Président s'étant approché, je sentis qu'elle ouvrait les lèvres de mon…, entre lesquelles Monseigneur tentait d'introduire le doigt en tâchant, mais inutilement, de pénétrer. "Cela est fort bien, dit-il à ma mère, et je suis content : je vois qu'elle est sûrement pucelle. Présentement faites-la tenir ferme dans l'attitude où elle est ; occupez-vous à lui donner quelques petits coups de votre main sur les fesses."

« Cet arrêt fut exécuté. Un profond silence succéda. Ma mère soutenait de la main gauche mes jupes et ma chemise élevées, tandis qu'elle me fessait légèrement de la droite. Curieuse de voir ce qui se passait de la part du Président, je tournai tant soit peu la tête ; je l'aperçus posté à deux pas de mon derrière, un genou en terre, tenant d'une main sa lorgnette braquée sur mon postérieur et de l'autre secouant entre ses cuisses quelque chose de noir et de flasque, que tous ses efforts ne pouvaient faire guinder [6]. Je ne sais s'il finit ou non sa besogne ; mais enfin après un quart d'heure d'une attitude que je ne pouvais plus supporter, Monseigneur se leva et gagna son fauteuil en vacillant sur ses vieilles jambes étiques. Il donna à ma mère une bourse dans laquelle il lui dit qu'elle trouverait les cent louis d'or promis ; et après m'avoir honorée d'un baiser sur la joue, il m'annonça qu'il aurait soin que rien ne me manquât, pourvu que je fusse sage ; et qu'il me ferait avertir lorsqu'il aurait besoin de moi.

« Dès que nous fûmes rentrées au logis, ma mère et moi, continua Madame Bois-Laurier, je fis d'aussi sérieuses réflexions sur ce que j'avais appris et vu depuis vingt-quatre heures, que celles que vous fîtes ensuite de la fustigation de Mademoiselle Éradice par le Père Dirrag. Je me rappelais tout ce qui s'était dit et fait dans la maison de Madame Lefort depuis mon enfance et je rassemblais mes idées pour en tirer

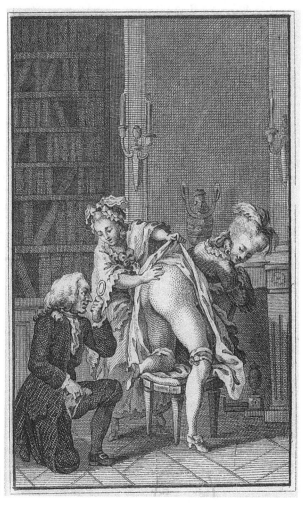

La Lefort présente Manon à Monsieur le Président de ***
qui contemple ses appas.

quelque conclusion raisonnable, lorsque ma mère
entra et mit fin à mes rêveries. "Je n'ai plus rien à te
cacher, ma chère Manon, me dit-elle en m'embrassant, puisque te voilà associée aux devoirs d'un métier
que j'exerce avec quelque distinction depuis vingt ans.
Écoute donc attentivement ce que j'ai encore à te dire
et par ta docilité à suivre mes conseils, mets-toi en état
de réparer le tort que te fait le Président. C'est par ses
ordres, continua ma mère, que je t'ai enlevée il y a huit
ans. Il m'a payé depuis ce temps une pension très
modique, que j'ai bien employée, et au-delà, pour ton
éducation. Il m'avait promis qu'il nous donnerait à
chacune cent louis lorsque ton âge lui permettrait de
prendre ton pucelage ; mais si ce vieux paillard a
compté sans son hôte, si son vieil outil, rouillé, ridé et
usé, le met hors d'état de tenter cette aventure, est-ce
notre faute ? Cependant il ne m'a donné que les cent
louis qui me regardent ; mais ne t'inquiète pas, ma
chère Manon, je t'en ferai gagner bien d'autres. Tu es
jeune, jolie, point connue : je vais, pour te faire plaisir,
employer cette somme à te bien nipper ; et si tu veux
te laisser conduire, je te ferai faire à toi seule le profit
que faisaient ci-devant dix ou douze demoiselles de
mes amies."

« Après mille autres propos de cette espèce, à travers
lesquels j'aperçus que ma bonne maman débutait par
s'approprier les cent louis donnés par le Président, les
conditions de notre traité furent qu'elle commencerait
par m'avancer cet argent, qu'elle retirerait sur le produit de mes premiers travaux journaliers et qu'ensuite
nous partagerions consciencieusement les profits de la
société.

« La Lefort avait un fonds inépuisable de bonnes
connaissances dans Paris. En moins de six semaines,
je fus présentée à plus de vingt de ses amis, qui
échouèrent successivement au projet de recueillir les
prémices de ma virginité. Heureusement que, par le
bon ordre que Madame Lefort tenait dans la conduite
de ses affaires, elle avait exactement soin de se faire
payer d'avance les plaisirs d'un travail qui était impra-

ticable. Je crus même un jour qu'un gros Docteur de Sorbonne, qui s'obstinait à vouloir gagner les dix louis qu'il avait financés, y mourrait à la peine, ou qu'il me *désenchanterait*[7].

« Ces vingt athlètes furent suivis de plus de cinq cents autres pendant l'espace de cinq ans. Le Clergé, l'Épée, la Robe et la Finance me placèrent tour à tour dans les attitudes les plus recherchées : soins inutiles : le sacrifice se faisait à la porte du temple, ou bien la pointe du couteau s'émoussant, la victime ne pouvait être immolée.

« Enfin la solidité de mon pucelage fit trop de bruit et parvint aux oreilles de la Police, qui parut vouloir faire cesser le progrès des épreuves. J'en fus avertie à temps ; et nous jugeâmes, Madame Lefort et moi, que la prudence exigeait que nous fissions une petite éclipse à trente lieues de Paris.

« Au bout de trois mois le feu s'apaisa. Un Exempt[8] de cette même Police, compère et ami de Madame Lefort, se chargea de calmer les esprits, moyennant une somme de douze louis d'or que nous lui fîmes compter. Nous retournâmes à Paris avec de nouveaux projets.

« Ma mère, qui avait insisté longtemps sur ce que l'opération du *bistouri* me fût faite, avait bien changé de système. Elle trouvait dans la difformité de ma conformation un fonds inaltérable qui produisait un gros revenu sans être cultivé, sans craindre des *orvales*[9] ; point d'enfants, point de *rhumes ecclésiastiques*[10] à redouter. Quant à mes plaisirs, je me repaissais, ma chère Thérèse, par nécessité, de ceux dont tu sais te contenter par raison[11].

« Cependant, poursuivit la Bois-Laurier, nous prîmes de nouvelles allures et nous guidâmes sur de nouveaux principes. En arrivant de notre exil volontaire, notre premier soin fut de changer de quartier ; et sans dire un mot au Président, nous nous transplantâmes dans le faubourg Saint-Germain.

« La première connaissance que j'y fis fut celle d'une certaine Baronne qui, après avoir pendant sa jeunesse

travaillé utilement et de concert avec une Comtesse sa
sœur aux plaisirs de la jeunesse libertine, était devenue
directrice de la maison d'un riche Américain, à qui elle
prodiguait les débris de ses appas surannés qu'il
payait bien au-delà de leur juste valeur. Un autre
Américain, ami de celui-ci, me vit et m'aima : nous
nous arrangeâmes. La confidence que je lui fis du cas
où j'étais l'enchanta, au lieu de le rebuter. Le pauvre
homme sortait d'entre les mains du célèbre Petit[12] : il
sentait qu'entre les miennes, il était assuré de ne pas
craindre la rechute. Mon nouvel amant d'*Outremer*
avait fait vœu de se borner aux plaisirs de la *petite oie* ;
mais il mêlait dans l'exécution un tic singulier. Son
goût était de me placer assise à côté de lui sur un
sopha, découverte jusqu'au-dessus du nombril ; et
tandis que j'empoignais et que je donnais de légères
secousses au rejeton de la racine du genre humain il
fallait que j'eusse la complaisance de souffrir qu'une
femme de chambre qu'il m'avait donnée, s'occupât à
couper quelques poils de ma toison. Sans ce bizarre
appareil, je crois que la vigueur de dix bras comme le
mien ne fut pas venue à bout de guinder la machine de
mon homme, et encore moins d'en tirer une goutte
d'*élixir*.

« Du nombre de ces hommes à fantaisies était l'amant
de Minette, troisième sœur de la Baronne. Cette fille
avait de beaux yeux, elle était grande, assez bien faite,
mais laide, noire, sèche, minaudière, jouant l'esprit et
les sentiments sans avoir ni l'un ni l'autre [*sic*]. La
beauté de sa voix lui avait procuré successivement
nombre d'adorateurs. Celui qui était alors en fonctions n'était ému que par ce talent ; et les seuls accents
de la voix mélodieuse de cet Orphée femelle avaient la
vertu d'ébranler la machine de cet amant et de
l'exciter au plus grand des plaisirs.

« Un jour, après avoir fait entre nous trois un ample
dîner libertin pendant lequel on avait chanté, on
m'avait plaisantée sur la difformité de mon…, on avait
dit et fait toutes les folies imaginables, nous nous cul-
butâmes sur un grand lit. Là nos appas sont étalés, les

miens sont trouvés admirables pour la perspective, l'amant se met en train ; il campe Minette sur le bord du lit, la trousse, l'enfile et la prie de chanter. La docile Minette, après un petit prélude, entonne un air de mouvement à trois temps coupés ; l'amant part, pousse et repousse toujours en mesure ; ses lèvres semblent battre les cadences, tandis que ses coups de fesses marquent les temps. Je regarde, j'écoute, en riant aux larmes, couchée sur le même lit. Tout allait bien jusque-là lorsque la voluptueuse Minette, venant à prendre plaisir au cas, chante faux, détonne [13], perd la mesure : un *bémol* est substitué à un *bécarre*. "Ah ! Chienne ! s'écrie sur-le-champ notre zélateur de la bonne musique. Tu as déchiré mon oreille : ce faux ton a pénétré jusqu'à la cheville ouvrière, elle se détraque : tiens, dit-il en se retirant ; regarde l'effet de ton maudit *bémol*." Hélas ! Le pauvre diable était devenu *mol* ; le meuble qui battait la mesure n'était plus qu'un chiffon.

« Mon amie désespérée fit des efforts incroyables pour ranimer son acteur ; mais les plus tendres baisers, les attouchements les plus lascifs furent employés en vain. Ils ne purent rendre l'élasticité à la partie languissante. "Ah ! Mon cher ami, s'écria-t-elle, ne m'abandonne pas : c'est mon amour pour toi, c'est le plaisir qui a dérangé mon organe : me quitteras-tu dans cet heureux moment ? Manon ! Ma chère Manon ! Secours-moi : montre-lui ta petite moniche ; elle lui rendra la vie, elle me la rendra à moi-même ; car je meurs s'il ne finit. Place-la, mon cher Bibi, dit-elle à son amant, dans l'attitude voluptueuse où tu mets quelquefois la Comtesse ma sœur ; l'amitié de Manon pour moi répond de sa complaisance."

« Pendant toute cette singulière scène, je n'avais cessé de rire jusqu'à perdre la respiration. En effet, a-t-on jamais vu faire pareille besogne en chantant et battre la mesure avec un pareil outil, et jamais a-t-on pu imaginer qu'un *bémol* au lieu d'un *bécarre* dût faire rater et rentrer aussi subitement un homme en lui-même ?

« Je concevais bien que la sœur de la Baronne se prêtait à tout ce qui pouvait plaire à son amant, moins par volupté que pour le retenir dans ses liens par des complaisances qu'elle lui faisait payer chèrement ; mais j'ignorais encore quel avait été le rôle de la Comtesse que l'on me priait de doubler. Je fus bientôt éclaircie : voici quel il fut.

« Les deux amants me couchent sur le ventre, sous lequel ils mettent trois ou quatre coussins qui tiennent mes fesses élevées ; puis ils me troussent jusqu'au-dessus des hanches, la tête appuyée sur le chevet du lit. Minette s'étend sur le dos, place sa tête entre mes cuisses, ma toison jointe à son front, auquel elle servait comme de toupet. Bibi lève les jupes et la chemise de Minette, se couche sur elle et se soutient sur les bras. Remarque, ma chère Thérèse, que dans cette attitude Monsieur Bibi avait pour perspective, à quatre doigts de son nez, le visage de son amante, ma toison, mes fesses et le reste. Pour cette fois il se passa de musique : il baisait indistinctement tout ce qui se présentait devant lui, visage, cul, bouche, et nulle préférence marquée, tout lui était égal : son dard, guidé par la main de Minette, reprit bientôt son élasticité et rentra dans son premier gîte. Ce fut alors que les grands coups se donnèrent : l'amant poussait, Minette jurait, mordait, remuait la charnière avec une agilité sans égale ; pour moi je continuais de rire aux larmes, en regardant de tous mes yeux la besogne qui se faisait derrière moi. Enfin après un assez long travail, les deux amants se pâmèrent et nagèrent dans une mer de délices.

« Quelque temps après, je fus introduite chez un Évêque, dont la manie était plus bruyante, plus dangereuse pour le scandale et pour le tympan de l'oreille le mieux organisé. Imagine-toi que, soit par un goût de prédilection, soit par un défaut d'organisation, dès que Sa Grandeur sentait les approches du plaisir, elle mugissait et criait à haute voix : *haï ! haï ! haï !* en forçant le ton à proportion de la vivacité du plaisir dont il était affecté ; de sorte que l'on aurait pu calculer les

Bizarre attitude pour restaurer la vigueur éteinte d'un amant.

gradations du chatouillement que ressentait le gros et ample Prélat par les degrés de force qu'il employait à mugir *haï ! haï ! haï !* Tapage qui, lors de la décharge de Monseigneur, aurait pu être entendu à mille pas à la ronde, sans la précaution que son valet de chambre prenait de matelasser les portes et les fenêtres de l'appartement épiscopal.

« Je ne finirais pas, si je te faisais le tableau de tous les goûts bizarres, des singularités que j'ai connues chez les hommes, indépendamment des diverses postures qu'ils exigent des femmes dans le *coït*.

« Un jour je fus introduite par une petite porte de derrière chez un homme de nom et fort riche à qui, depuis cinquante ans, tous les matins une fille nouvelle pour lui rendait pareille visite. Il m'ouvrit lui-même la porte de son appartement. Prévenue de l'*étiquette* qui s'observait chez ce paillard d'habitude, dès que je fus entrée, je quittai robe et chemise. Ainsi nue, j'allai lui présenter mes fesses à baiser dans un fauteuil où il était gravement assis. "Cours donc vite, ma fille", me dit-il en tenant d'une main son paquet qu'il secouait de toute sa force et de l'autre une poignée de verges dont mes fesses étaient simplement menacées.

« Je me mets à courir, il me suit : nous faisons cinq à six tours de chambre, lui, criant comme un diable : "Cours donc, coquine, cours donc…" Enfin il tombe pâmé dans son fauteuil ; je me rhabille, il me donne deux louis et je sors.

« Un autre me plaçait assise sur le bord d'une chaise, découverte jusqu'à la ceinture. Dans cette posture, il fallait que, par complaisance, quelquefois aussi par goût, je me servisse du frottement de la tête d'un *gode-miché* pour me provoquer au plaisir. Lui, posté dans la même attitude vis-à-vis de moi à l'autre extrémité de la chambre, travaillait de la main à la besogne, ayant les yeux fixés sur mes mouvements et singulièrement attentif à ne terminer son opération que lorsqu'il aper-cevait que ma langueur annonçait le comble de la volupté.

La Bois-Laurier est envoyée chez un voluptueux
qui la fait courir nue devant lui en la suivant la verge en main.

Un vieux Médecin se fait fouetter par la Bois-Laurier assistée
d'une de ses compagnes : remède souverain pour la génération.

« Un troisième (c'était un vieux Médecin) ne donnait aucun signe de virilité qu'au moyen de cent coups de fouet que je lui appliquais sur les fesses, tandis qu'une de mes compagnes, à genoux devant lui, la gorge nue, travaillait avec ses mains à disposer le nerf érecteur de cet *Esculape* moderne, d'où exhalaient enfin les esprits qui, par la fustigation mis en mouvement, avaient été forcés de se porter dans la région inférieure. C'est ainsi que nous le disposions, ma camarade et moi, par ces différentes opérations, à répandre le baume de vie. Tel était le mécanisme par lequel ce docteur nous assurait qu'on pouvait restaurer un homme usé, un impuissant et faire concevoir une femme stérile.

« Un quatrième (c'était un voluptueux Courtisan, usé de débauches) me fit venir chez lui avec une de mes compagnes. Nous le trouvâmes dans un cabinet environné de glaces de toutes parts, disposées de manière que toutes faisaient face à un lit de repos de velours cramoisi, qui était placé dans le milieu [14]. "Vous êtes des dames charmantes, adorables, nous dit affectueusement le Courtisan ; cependant vous ne trouverez pas mauvais que je n'aie pas l'honneur de vous... Ce sera, si vous le trouvez bon, un de mes valets de chambre, garçon beau et bien fait, qui aura celui de vous amuser. Que voulez-vous, mes beaux enfants ! ajouta-t-il, il faut savoir aimer ses amis avec leurs défauts ; et j'ai celui de ne goûter de plaisirs que par l'idée que je me forme de ceux que je vois prendre aux autres. D'ailleurs, chacun se mêle de... Eh ! Ne serait-il pas pitoyable que gens comme moi soyons les singes d'un gros vilain paysan ?" Après ce discours préliminaire, prononcé d'un ton mielleux, il fit entrer son valet de chambre, qui parut en petite veste courte de satin couleur de chair, en habit de combat [15]. Ma camarade fut couchée sur le lit de repos, bien et dûment troussée par le valet de chambre, qui m'aida ensuite à me déshabiller nue de la ceinture en haut. Tout était compassé et se faisait avec mesure. Le Maître, dans un fauteuil, examinait et tenait son instrument mollet à la main. Le valet de chambre, au

contraire, qui avait descendu ses culottes jusque sur
ses genoux et tourné le bas de sa chemise autour de
ses reins, en laissait voir un des plus brillants. Il
n'attendait pour agir que les ordres de son Maître, qui
lui annonça qu'il pouvait commencer. Aussitôt, le fortuné valet de chambre grimpe ma camarade, l'enfile et
reste immobile. Les fesses de celui-ci étaient découvertes. "Prenez la peine, mademoiselle, dit notre
Courtisan, de vous placer à l'autre côté du lit et de
chatouiller cette ample paire de c… qui pendent entre
les cuisses de mon homme, qui est, comme vous
voyez, un fort honnête *Lorrain*."

« Cela exécuté de ma part, nue, comme je vous ai dit,
de la ceinture en haut, l'ordonnateur de la fête dit à
son valet de chambre qu'il pouvait aller son train.
Celui-ci pousse sur-le-champ et repousse avec une
mobilité de fesses admirable : ma main suit leur mouvement, ne quitte point les deux énormes *verrues*. Le
Maître parcourt des yeux ses miroirs qui lui rendent
des tableaux diversifiés selon le côté dont les objets
sont réfléchis. Il vient à bout de faire raidir son instrument qu'il secoue avec vigueur : il sent que le moment
de la volupté approche. "Tu peux finir", dit-il à son
valet de chambre. Celui-ci redouble ses coups ; tous
deux enfin se pâment et répandent la liqueur divine.

« Chère Thérèse, dit la Bois-Laurier en poursuivant
ses propos, je me rappelle fort à propos une plaisante aventure qui m'arriva ce même jour avec trois
Capucins : elle te donnera une idée de l'exactitude de
ces bons Pères à observer leurs vœux de chasteté.

« Après être sortie de chez le Courtisan dont je viens
de te parler et avoir dit adieu à ma compagne, comme
je tournais le premier coin de rue pour monter dans
un fiacre qui m'attendait, je rencontrai la Dupuis,
amie de ma mère, digne émule de son commerce,
mais qui en exerçait les travaux dans un monde moins
bruyant. "Ah ! Ma chère Manon, me dit-elle en
m'abordant, que je suis ravie de te rencontrer ! Tu sais
que c'est moi qui ai l'honneur de servir presque tous
nos Moines de Paris. Je crois que ces chiens-là se sont

*Restaurant pour un Courtisan usé de débauche, par le plaisir
qu'il reçoit de celui qu'il voit prendre à son valet de chambre.*

tous donné le mot aujourd'hui pour me faire enrager :
ils sont tous en *rut*. J'ai, depuis ce matin, neuf filles en
campagne pour eux en diverses chambres et quartiers
de Paris et je cours depuis quatre heures, sans en pouvoir trouver une dixième pour trois vénérables Capucins qui m'attendent encore dans un fiacre bien fermé
sur le chemin de ma petite maison. Il faut, Manon,
que tu me fasses le plaisir d'y venir : ce sont de bons
diables, ils t'amuseront." J'eus beau dire à la Dupuis
qu'elle savait bien que je n'étais pas un gibier de
Moines, que ces Messieurs ne se contentaient pas des
plaisirs de fantaisie, de ceux de la petite oie, mais qu'il
leur fallait au contraire des filles dont les ouvertures
fussent très libres. "Parbleu ! répliqua la Dupuis, je te
trouve admirable de t'inquiéter des plaisirs de ces
coquins-là ! Il suffit que je leur donne une fille ; c'est à
eux à en tirer tel parti qu'ils pourront. Tiens, voilà six
louis qu'ils m'ont mis en mains : il y en a trois pour
toi, veux-tu me suivre ?" La curiosité autant que
l'intérêt me détermina. Nous montâmes dans mon
fiacre, et nous nous rendîmes près de *Montmartre* à la
petite maison de la Dupuis.

« Un instant après entrent nos trois capuchons qui,
peu accoutumés à goûter d'un morceau aussi friand
que je paraissais l'être, se jettent sur moi comme trois
dogues affamés. J'étais dans ce moment debout, un
pied élevé sur une chaise, nouant une de mes jarre-
tières. L'un, avec une barbe rousse et une haleine
infectée, vint m'appuyer un baiser sur *la parole*,
encore cherchait-il à chiffonner avec sa langue. Un
second tracassait grossièrement sa main dans mes
tétons ; et je sens le visage du troisième, qui avait levé
ma chemise par-derrière, appliqué contre mes fesses
tout près du trou mignon. Quelque chose de rude
comme du crin, passé entre mes cuisses, me far-
fouillait le quartier de devant ; j'y porte la main :
qu'est-ce que je saisis ? La barbe du Père Hilaire [16],
qui, se sentant pris et tiré par le menton, m'applique,
pour m'obliger à lâcher prise, un assez vigoureux
coup de dents dans une fesse. J'abandonne en effet la

Trois Capucins en partie fine avec la Bois-Laurier.

barbe et un cri perçant que la douleur m'arrache, en imposa heureusement à ces effrénés et me tira pour un moment de leurs pattes. Je m'assis sur un lit de repos près duquel j'étais ; mais à peine eus-je le temps de m'y reconnaître que trois instruments énormes se trouvent braqués devant moi.

"Ah ! Mes Pères, m'écriai-je, un moment de patience, s'il vous plaît : mettons un peu d'ordre dans ce qui nous reste à faire. Je ne suis point venue ici pour jouer la vestale : voyons donc avec lequel de vous trois je...

– C'est à moi ! s'écrièrent-ils tous ensemble, sans me donner le temps d'achever.

– À vous, jeunes barbes ? reprit l'un d'eux en *nasillant*. Vous osez disputer le pas à Père Ange, ci-devant Gardien de..., Prédicateur du Carême de..., votre supérieur ! Où est donc la subordination ?

– Ma foi, ce n'est pas chez la Dupuis, reprit l'un d'eux sur le même ton : ici Père Anselme vaut bien Père Ange.

– Tu en as menti", répliqua ce dernier en apostrophant un coup de poing dans le milieu de la face du très Révérend Père Anselme. Celui-ci, qui n'était rien moins que manchot, saute sur Père Ange ; tous deux se saisissent, se collettent, se culbutent, se déchirent à belles dents : leurs robes relevées sur leurs têtes laissent à découvert leurs misérables outils, qui, de saillants qu'ils s'étaient montrés, se trouvent réduits en forme de lavettes. La Dupuis accourut [sic] pour les séparer, elle n'y réussit qu'en appliquant un grand seau d'eau fraîche sur les parties honteuses de ces deux disciples de saint François.

« Pendant le combat, Père Hilaire ne s'amusait point à la moutarde [17]. Comme je m'étais renversée sur le lit, pâmée de rire et sans forces, il fourrageait mes appas et cherchait à manger l'huître disputée à belles gourmades [18] par ses deux compagnons. Surpris de la résistance qu'il rencontre, il s'arrête pour examiner de près les *débouchés* ; il entrouvre la coquille, point d'issue. Que faire ? Il cherche à nouveau à percer :

La Dupuis, accourue pour séparer les deux Moines,
n'y réussit qu'en appliquant un grand seau d'eau fraîche
sur les parties honteuses de ces deux disciples de saint François.

soins perdus, peines inutiles. Son instrument, après des efforts redoublés, est réduit à l'humiliante ressource de cracher au nez de l'huître qu'il ne peut gober.

« Le calme succéda tout à coup aux fureurs monacales. Père Hilaire demande un instant de silence : il informe les deux combattants de mon irrégularité et de la barrière insurmontable qui fermait l'entrée du séjour des plaisirs. La vieille Dupuis essuya de vifs reproches, dont elle se défendit en plaisantant ; et en femme qui sait son monde, elle tâcha de faire diversion par l'arrivée d'un convoi de bouteilles de vin de Bourgogne, qui furent bientôt sablées.

« Cependant les outils de nos Pères reprennent leur première consistance. Les libations bachiques sont interrompues de temps à autre par des libations à Priape. Toutes imparfaites qu'étaient celles-ci, nos frappards[19] semblent s'en contenter et tantôt mes fesses, tantôt leur revers servent d'autel à leurs offrandes.

« Bientôt une excessive gaieté s'empare des esprits. Nous mettons à nos convives du rouge, des mouches : chacun d'eux s'affuble de quelqu'un de mes ajustements de femme : peu à peu je suis dépouillée toute nue et couverte d'un simple manteau de Capucin : équipage dans lequel ils me trouvent charmante.

"N'êtes-vous pas trop heureux, s'écria la Dupuis qui était à moitié ivre, de jouir du plaisir de voir un minois comme celui de la charmante Manon ?

– Non, ventrebleu ! répliqua Père Ange d'un ton bachique[20]. Je ne suis point venu ici pour voir un minois : c'est pour f... un c... que je m'y suis rendu : j'ai bien payé, ajouta-t-il ; et ce v... que je tiens en mains n'en sortira ventredieu pas qu'il n'ait f... fût-ce le Diable."

« Écoute bien cette scène, me dit la Bois-Laurier en s'interrompant, elle est originale ; mais je t'avertis (peut-être un peu tard) que je ne puis rien retrancher à l'énergie des termes sans lui faire perdre toutes ses grâces. »

Chacun d'eux s'affuble de quelqu'un de mes ajustements de femme :
peu à peu je suis dépouillée toute nue
et couverte d'un simple manteau de Capucin.

La Bois-Laurier avait trop élégamment commencé, pour ne pas la laisser finir de même ; je souris ; elle continua ainsi le récit de cette aventure.

« "Fût-ce le Diable ! répéta la Dupuis en se levant de dessus sa chaise et élevant la voix du même ton nasillant que celui du Capucin. Eh bien ! B…, dit-elle en se troussant jusqu'au nombril, regarde ce c… vénérable, qui en vaut bien deux ; je suis une bonne diablesse… ; f…-moi donc, si tu l'oses, et gagne ton argent." Elle prend en même temps Père Ange par la barbe et l'entraîne sur elle en se laissant tomber sur le petit lit. Le Père n'est point déconcerté par l'enthousiasme de sa Proserpine, il se dispose à l'enfiler et l'enfile à l'instant.

« À peine la sexagénaire Dupuis eut-elle éprouvé le frottement de quelques secousses du Père, que ce plaisir délicieux, qu'aucun mortel n'avait eu la hardiesse de lui faire goûter depuis plus de vingt-cinq ans, la transporte et lui fait bientôt changer de ton. "Ah ! Mon Papa, disait-elle en se démenant comme une enragée, mon cher Papa, f… donc… Donne-moi du plaisir… Je n'ai que quinze ans mon ami, oui, vois-tu ? Je n'ai que quinze ans… Sens-tu ces allures ?… Va donc, mon petit Chérubin !… Tu me rends la vie… Tu fais une œuvre méritoire…"

« Dans l'intervalle de ces tendres exclamations, la Dupuis baisait son champion, elle le pinçait, elle le mordait avec les deux uniques *chicots* qui lui restaient dans la bouche.

« D'un autre côté le Père, qui était surchargé de vin, ne faisait que *haniquiner* [21] ; mais ce vin commençant à faire son effet, *la galerie* composée des Révérends Pères Anselme, Hilaire et de moi, s'aperçut bientôt que Père Ange perdait du terrain et que ses mouvements cessaient d'être régulièrement périodiques. "Ah ! B…, s'écria tout à coup la connaisseuse Dupuis, je crois que tu déb…, chien, si tu me faisais un pareil affront…" Dans l'instant l'estomac du Père, fatigué par l'agitation, fait *capot* [22] ; et l'inondation, portant directement sur la face de l'infortunée Dupuis au moment d'une de ses exclamations amoureuses qui lui tenait la bouche béante, la vieille se sentant infectée de cette *exlibation* [23] infecte, son cœur se soulève et elle paie l'agresseur de la même monnaie.

« Jamais spectacle plus affreux et plus risible en même temps. Le Moine s'appesantit, s'écroule sur la Dupuis : celle-ci fait de puissants efforts pour le renverser de côté, elle y réussit. Tous deux nagent dans l'ordure : leurs visages sont méconnaissables ; la Dupuis, dont la colère n'était que suspendue, tombe sur Père Ange à grands coups de poings : mes ris immodérés et ceux des deux spectateurs nous ôtent la force de leur donner du secours. Enfin nous les joignîmes et nous séparâmes les champions. Père Ange s'endort : la Dupuis se nettoie ; à l'entrée de la nuit, chacun se retire et gagne tranquillement son manoir. »

Après ce beau récit, qui nous apprêta à rire de grand cœur, la Bois-Laurier continua à peu près dans ces termes.

« Je ne te parle point du goût de ces monstres qui n'en ont que pour le plaisir *antiphysique* [24], soit comme *agent*, soit comme *patient*. L'Italie en produit moins aujourd'hui que la France. Ne savons-nous pas qu'un seigneur aimable, riche, entiché de cette frénésie, ne put venir à bout de consommer son mariage avec une épouse charmante, la première nuit de ses noces, que par le moyen de son valet de chambre, à qui son Maître ordonna, dans le fort de l'acte, de lui faire même introduction par-derrière que celle qu'il faisait à sa femme par-devant ?

« Je remarque cependant que Messieurs les Antiphysiques se moquent de nos injures et défendent vivement leur goût, en soutenant que leurs antagonistes ne se conduisent que par les mêmes principes qu'eux. "Nous cherchons tous le plaisir, disent ces hérétiques, par la voie où nous croyons le trouver. C'est le goût qui guide nos adversaires ainsi que nous. Or vous conviendrez que nous ne sommes pas les maîtres d'avoir tel ou tel goût. Mais, dit-on, lorsque les goûts sont criminels, lorsqu'ils outragent la Nature, il faut les rejeter. Point du tout : en matière de plaisirs, pourquoi ne pas suivre son goût ? Il n'y en a point de coupables. D'ailleurs il est faux que l'*antiphysique* soit contre-nature, puisque c'est cette même Nature qui nous donne le penchant pour ce plaisir. Mais, dit-on encore, on ne peut pas procréer son semblable, conti-nuent-ils. Quel pitoyable raisonnement ! Où sont les hommes, de l'un et de l'autre goût, qui prennent le plaisir de la chair dans la vue de faire des enfants [25] ?"

« Enfin, continua la Bois-Laurier, Messieurs les Anti-physiques allèguent mille bonnes raisons pour faire croire qu'ils ne sont ni à plaindre, ni à blâmer. Quoi qu'il en soit, je les déteste ; et il faut que je te conte un tour assez plaisant que j'ai joué une fois en ma vie à un de ces exécrables ennemis de notre sexe.

« J'étais avertie qu'il devait venir me voir ; et quoique je sois naturellement une terrible péteuse, j'eus encore la précaution de me farcir l'estomac d'une forte quantité de navets, afin d'être mieux en état de le recevoir suivant mon projet. C'était un animal que je ne souffrais que par complaisance pour ma mère. Chaque fois qu'il venait au logis, il s'occupait pendant deux heures à examiner mes fesses, à les ouvrir, à les refermer, à porter le doigt au trou, où il eût volontiers tenté de mettre autre chose, si je ne m'étais pas expli-quée nettement sur l'article : en un mot, je le détestais. Il arrive à neuf heures du soir ; m'ayant fait coucher à plat ventre sur le bord d'un lit, puis, après avoir exac-tement levé mes jupes et ma chemise, il va, selon sa louable coutume, s'armer d'une bougie dans le des-sein de venir examiner l'objet de son culte. C'est où je l'attendais. Il met un genou en terre et, approchant la lumière et son nez, je lui lâche à brûle-pourpoint un vent moelleux, que je retenais avec peine depuis deux heures ; le prisonnier en s'échappant fit un bruit enragé et éteignit la bougie. Le curieux se jette en arrière en faisant, sans doute, une grimace de tous les diables ; la bougie tombée de ses mains fut rallumée ; je profite du désordre et me sauve, en éclatant de rire, dans une chambre voisine où je m'enfermai et de

Camouflet donné par la Bois-Laurier
à un amateur du goût antiphysique.

laquelle ni prières, ni menaces ne purent me tirer, jusqu'à ce que mon homme au camouflet eût vidé la maison. »

Ici Madame Bois-Laurier fut obligée de cesser sa narration par les ris immodérés qu'excita en moi cette dernière aventure. Par compagnie elle riait aussi de tout son cœur ; et je pense que nous n'eussions pas fini de sitôt, sans l'arrivée de deux messieurs de sa connaissance que l'on vint nous annoncer. Elle n'eut que le temps de me dire que cette interruption la fâchait beaucoup, en ce qu'elle ne m'avait encore montré que le mauvais côté de son histoire, qui ne pouvait que me donner une fort mauvaise opinion d'elle ; mais qu'elle espérait me faire bientôt connaître le bon et m'apprendre avec quel empressement elle avait saisi la première occasion qui s'était présentée de se retirer du train de vie abominable dans lequel la Lefort l'avait engagée.

Je dois en effet rendre justice à la Bois-Laurier : si j'en excepte mon aventure avec Monsieur R... dont elle n'a jamais voulu convenir d'avoir été de moitié, sa conduite n'a rien eu d'irrégulier pendant le temps que je l'ai connue. Cinq ou six amis formaient sa société : elle ne voyait de femme que moi et les haïssait. Nos conversations étaient décentes devant le monde : rien de si libertin que celles que nous tenions dans le particulier depuis nos confidences réciproques. Les hommes qu'elle voyait étaient tous gens sensés. On jouait à de petits jeux de commerce ; ensuite on soupait chez elle, presque tous les soirs. Le seul B..., ce prétendu oncle Financier, était admis à l'entretenir en particulier.

J'ai dit que deux messieurs nous avaient été annoncés. Ils entrèrent. Nous fîmes un quadrille[26], nous soupâmes gaiement. La Bois-Laurier, qui était d'une humeur charmante et qui peut-être était bien aise de ne pas me laisser seule livrée aux réflexions de mon aventure du matin, m'entraîna dans son lit. Il fallut coucher avec elle : on hurle avec les loups, nous dîmes et nous fîmes toutes sortes de folies.

Ce fut, mon cher Comte, le lendemain de cette nuit libertine, que je vous parlai pour la première fois. Jour fortuné ! Sans vous, sans vos conseils, sans la tendre amitié et l'heureuse sympathie qui nous lièrent d'abord, je coulais insensiblement à ma perte. C'était un vendredi ; vous étiez, il m'en souvient, dans l'amphithéâtre de l'Opéra, presque au-dessous d'une loge où nous étions placées, la Bois-Laurier et moi. Si nos yeux se rencontrèrent par hasard, ils se fixèrent par réflexion. Un de vos amis, qui devait être le même soir l'un de nos convives, nous joignit : vous l'abordâtes peu de temps après. On me plaisantait sur mes principes de morale ; vous parûtes curieux de les approfondir et ensuite charmé de les connaître à fond. La conformité de vos sentiments aux miens réveilla mon attention. Je vous écoutais, je vous voyais avec un plaisir qui m'était inconnu jusqu'alors. La vivacité de ce plaisir m'anima, me donna de l'esprit, développa en moi des sentiments que je n'y avais pas encore aperçus. Tel est l'effet de la sympathie des cœurs, il semble que l'on pense par l'organe de celui avec qui elle agit. Dans le même instant que je disais à la Bois-Laurier qu'elle devait vous engager à venir souper avec nous, vous faisiez la même proposition à votre ami. Tout s'arrangea ; l'opéra finit, nous montâmes tous quatre dans votre carrosse pour nous rendre dans votre petit hôtel garni où, après un quadrille dont nous payâmes amplement les frais, par les fautes de distraction que nous fîmes, on se mit à table et on soupa. Enfin, si je vous vis sortir avec regret, je me sentis agréablement consolée par la permission que vous exigeâtes de venir me voir quelquefois, d'un ton qui me convainquit du dessein où vous étiez de n'y pas manquer.

Lorsque vous fûtes sorti, la curieuse Bois-Laurier me questionna et tâcha insensiblement de démêler la nature de la conversation particulière que nous avions eue vous et moi, après le souper. Je lui dis tout naturellement que vous m'aviez paru désirer de savoir quelle espèce d'affaire m'avait conduite et me retenait

à Paris ; et je convins que vos procédés m'avaient inspiré tant de confiance, que je n'avais pas hésité à vous
informer de presque toute l'histoire de ma vie et de
l'état de ma situation actuelle. Je continuai de lui dire
que vous m'aviez paru touché de mon état, et que
vous m'aviez fait entendre que par la suite vous pour-
riez me donner des preuves des sentiments que je vous
avais inspirés. « Tu ne connais pas les hommes, reprit
la Bois-Laurier, la plupart ne sont que des séducteurs
et des trompeurs qui, après avoir abusé de la crédulité
d'une fille, l'abandonnent à son malheureux sort. Ce
n'est pas que j'aie cette idée du caractère du Comte
personnellement ; au contraire, tout annonce en lui
l'homme qui pense, l'honnête homme, qui est tel par
raison, par goût et sans préjugés [27]. »

Après quelques autres discours de la Bois-Laurier, qui
visaient à me servir de leçons propres à m'apprendre à
connaître les différents caractères des hommes, nous
nous couchâmes et dès que nous fûmes au lit, nos folies
prirent la place du raisonnement [28].

Le lendemain matin la Bois-Laurier me dit en s'éveil-
lant : « Je vous [29] ai conté hier, ma chère Thérèse, à peu
près toutes les misères de ma vie ; vous avez vu le mauvais côté de la médaille : ayez la patience de m'écouter,
vous en connaîtrez le bon.

« Il y avait longtemps, poursuivit-elle, que mon
cœur était bourrelé, que je gémissais de la vie indigne,
humiliante, dans laquelle la misère m'avait plongée et
où l'habitude et les conseils de la Lefort me retenaient,
lorsque cette femme, qui avait eu l'art de conserver
sur moi une sorte d'autorité de mère, tomba malade et
mourut. Chacun me croyant sa fille, je restai paisible
héritière de tout. Je trouvai, tant en argent comptant
qu'en meubles, vaisselle, linge, de quoi former une
somme de trente-six mille livres : en me conservant un
honnête nécessaire, tel que vous le voyez aujourd'hui,
je vendis le superflu et dans l'espace d'un mois
j'arrangeai mes affaires de manière que je m'assurai
trois mille quatre cents livres de rente viagère. Je
donnai mille livres aux pauvres et je partis pour Dijon

dans le dessein de m'y retirer et d'y passer tranquillement le reste de mes jours.

« Chemin faisant, la petite vérole me prit à Auxerre,
qui changea tellement mes traits et mon visage, qu'elle
me rendit méconnaissable [30]. Cet événement, joint au
mauvais secours que j'avais reçu pendant ma maladie
dans la province que je m'étais proposé d'habiter, me
fit changer de résolution. Je compris aussi, retournant
à Paris et m'éloignant des deux quartiers que j'avais
habités pendant mes deux caravanes, que je pourrais
facilement y vivre tranquille dans un autre, sans être
reconnue. J'y suis donc de retour depuis un an.
Monsieur B... est le seul homme qui m'y connaisse
pour ce que je suis : il veut bien que je me dise sa
nièce, parce que je me fais passer pour une femme de
qualité. Vous êtes aussi, Thérèse, la seule femme à qui
je me sois confiée ; bien persuadée qu'une personne
qui a des principes tels que les vôtres est incapable
d'abuser de la confiance d'une amie que vous vous
êtes attachée par la bonté de votre caractère et par
l'équité qui règne dans vos sentiments. »

FIN DE L'HISTOIRE DE LA BOIS-LAURIER
ET SUITE DE CELLE DE THÉRÈSE

Lorsque Madame Bois-Laurier eut fini, je l'assurai
qu'elle devait faire fond sur ma discrétion et je la
remerciai de bon cœur de ce qu'elle avait vaincu en
ma faveur la répugnance que l'on a naturellement à
informer quelqu'un de ses dérèglements passés.

Il était alors près de midi. Nous en étions aux poli-
tesses mutuelles, la Bois-Laurier et moi, lorsqu'on
m'annonça que vous demandiez à me voir. Mon cœur
tressaillit de joie. Je me levai, je volai auprès de vous :
nous dînâmes et passâmes ensemble le reste de la
journée.

Trois semaines s'écoulèrent, pour ainsi dire, sans
que nous nous quittassions et sans que j'eusse l'esprit
de m'apercevoir que vous employiez ce temps à
connaître si j'étais digne de vous. En effet, enivrée du
plaisir de vous voir, mon âme n'apercevait aucun
autre sentiment dans moi ; et quoique je n'eusse
d'autre désir que celui de vous posséder toute ma vie,
il ne me vint jamais dans l'idée de former un projet
suivi pour m'assurer ce bonheur.

Cependant la modestie de vos expressions, et la
sagesse de vos procédés avec moi ne laissaient pas de
m'alarmer. « S'il m'aimait, disais-je, il aurait auprès de
moi les airs de vivacité que je vois à tels et tels qui
m'assurent qu'ils ont pour moi l'amour le plus vif. »
Cela m'inquiétait. J'ignorais alors que les gens sensés
aiment avec des procédés sensés et que les étourdis
sont des étourdis partout.

Enfin, cher Comte, au bout d'un mois, vous me
dîtes un jour assez laconiquement que ma situation
vous avait inquiété dès le jour même que vous m'aviez
connue ; que ma figure, mon caractère, ma confiance
en vous, vous avaient déterminé à chercher des
moyens qui pussent me tirer du labyrinthe dans lequel
j'étais à la veille d'être engagée. « Je vous parais sans
doute bien froid, mademoiselle, ajoutâtes-vous, pour
un homme qui vous assure qu'il vous aime. Cependant rien n'est si certain ; mais comptez que la passion
qui m'affecte le plus est celle de vous rendre heureuse. » Je voulus en ce moment vous interrompre
pour vous remercier. « Il n'est pas temps, mademoiselle, reprîtes-vous ; ayez la bonté de m'écouter
jusqu'à la fin. J'ai douze mille livres de rente : je puis,
sans m'incommoder, vous en assurer deux mille pendant votre vie. Je suis garçon, dans la ferme résolution
de ne jamais me marier et déterminé à quitter le grand
monde, dont les bizarreries commencent à m'être trop
à charge, pour me retirer dans une assez belle terre
que j'ai à quarante lieues de Paris[31]. Je pars dans
quatre jours. Voulez-vous m'y accompagner comme
amie ? Peut-être par la suite vous déterminerez-vous à

vivre avec moi comme ma maîtresse : cela dépendra du plaisir que vous aurez à m'en faire ; mais comptez que cette détermination ne réussira qu'autant que vous sentirez intérieurement qu'elle peut contribuer à votre félicité.

« C'est une folie, ajoutâtes-vous, de croire qu'on est maître de se rendre heureux par sa façon de penser. Il est démontré qu'on ne pense pas comme on veut. Pour faire son bonheur, chacun doit saisir le genre de plaisir qui lui est propre, qui convient aux passions dont il est affecté, en combinant ce qui résultera de bien ou de mal de la jouissance de ce plaisir et en observant que ce bien et ce mal soient considérés non seulement eu égard à soi-même, mais encore eu égard à l'intérêt public. Il est constant que, comme l'homme, par la multiplicité de ses besoins, ne peut être heureux sans le concours d'une infinité d'autres personnes, chacun doit être attentif à ne rien faire qui blesse la félicité de son voisin. Celui qui s'écarte de ce système fuit le bonheur qu'il cherche. D'où on peut conclure avec certitude que le premier principe que chacun doit suivre pour vivre heureux dans ce monde est d'être honnête homme et d'observer les lois humaines, qui sont comme les liens des besoins mutuels de la société. Il est évident, dis-je, que ceux ou celles qui s'éloignent de ce principe ne peuvent être heureux ; ils sont persécutés par la rigueur des lois, par la haine et par le mépris de leurs concitoyens.

« Réfléchissez donc, mademoiselle, continuâtes-vous, à tout ce que je viens d'avoir l'honneur de vous dire : consultez, voyez si vous pouvez être heureuse en me rendant heureux [32]. Je vous quitte ; demain je viendrai recevoir votre réponse. »

Votre discours m'avait ébranlée. Je sentis un plaisir inexprimable à imaginer que je pouvais contribuer à ceux d'un homme qui pensait comme vous. J'aperçus en même temps le labyrinthe dont j'étais menacée et sur lequel votre générosité devait me rassurer. Je vous aimais ; mais que les préjugés sont puissants et diffi-ciles à détruire ! L'état de fille entretenue, auquel

j'avais toujours vu attacher une certaine honte, me faisait peur. Je craignais aussi de mettre un enfant au
monde : ma mère, Madame C… avaient failli périr
dans l'accouchement. D'ailleurs, l'habitude où j'étais
de me procurer par moi-même un genre de volupté
que l'on m'avait dit être égal à celui que nous recevons
dans les embrassements d'un homme amortissait le
feu de mon tempérament ; et je ne désirais jamais rien
à cet égard, parce que le soulagement suivait immédiatement les désirs. Il n'y avait donc que la perspective d'une misère prochaine, ou l'envie de me rendre
heureuse en faisant votre bonheur, qui pussent me
déterminer. Le premier motif ne fit qu'effleurer ; le
second me décida.

Avec quelle impatience n'attendis-je pas votre
retour chez moi dès que j'eus pris mon parti ! Le lendemain vous parûtes ; je me précipitai dans vos bras.
« Oui, monsieur, je suis à vous, m'écriai-je, ménagez la
tendresse d'une fille qui vous chérit : vos sentiments
m'assurent que vous ne contraindrez jamais les miens.
Vous savez mes craintes, mes faiblesses, mes habitudes. Laissez agir le temps et vos conseils. Vous connaissez le cœur humain, le pouvoir des sensations sur
la volonté. Servez-vous de vos avantages pour faire
naître en moi celles que vous croirez les plus propres
pour me déterminer à contribuer sans réserve à vos
plaisirs. En attendant, je suis votre amie, etc. »

Je me rappelle que vous m'interrompîtes à ce doux
épanchement de mon cœur. Vous me promîtes que
vous ne contraindriez jamais mon goût et mes inclinations. Tout fut arrangé. J'annonçai le lendemain mon
bonheur à la Bois-Laurier, qui fondit en larmes en me
quittant ; et nous partîmes enfin pour votre terre, le
jour que vous aviez fixé.

Arrivée dans cet aimable séjour, je ne fus point
étonnée du changement de mon état, parce que mon
esprit n'était occupé que du soin de vous plaire.

Deux mois s'écoulèrent sans que vous me pressas-
siez sur les désirs que vous cherchiez à faire naître
insensiblement dans moi. J'allais au-devant de tous

vos plaisirs, excepté de ceux de la jouissance dont vous me vantiez les ravissements que je ne croyais pas plus vifs que ceux que je goûtais par habitude et que j'offrais de vous faire partager. Je frémissais au contraire à la vue du trait dont vous menaciez de me percer. « Comment serait-il possible, disais-je, que quelque chose de cette longueur, de cette grosseur, avec une tête aussi monstrueuse, puisse être reçu dans un espace où je puis à peine introduire le doigt ? D'ailleurs, si je deviens mère, je le sens, j'en mourrai. Ah ! Mon cher ami, continuais-je, évitons cet écueil fatal. Laissez-moi faire. » Je caressais, je baisais ce que vous nommez votre *Docteur* : je lui donnais des mouvements qui, en vous dérobant comme malgré vous cette liqueur divine, vous conduisaient à la volupté et rétablissaient le calme dans votre âme.

Je remarquais que, dès que l'aiguillon de la chair était émoussé, sous prétexte du goût que j'avais pour les matières de morale et de métaphysique, vous employiez la force du raisonnement pour déterminer ma volonté à ce que vous désiriez de moi.

« C'est l'amour-propre, me disiez-vous un jour, qui décide de toutes les actions de notre vie. J'entends par amour-propre cette satisfaction intérieure que nous sentons à faire telle ou telle chose. Je vous aime, par exemple, parce que j'ai du plaisir à vous aimer. Ce que j'ai fait pour vous peut vous convenir, vous être utile ; mais ne m'en ayez aucune obligation. C'est l'amour-propre qui m'y a déterminé : c'est parce que j'ai fixé mon bonheur à contribuer au vôtre ; et c'est par ce même motif que vous ne me rendrez parfaitement heureux que lorsque votre amour-propre y trouvera sa satisfaction particulière. Un homme donne souvent l'aumône aux pauvres, il s'incommode même, pour les soulager : son action est utile au bien de la société, elle est louable à cet égard ; mais par rapport à lui, rien moins que cela. Il a fait l'aumône parce que la compassion qu'il ressentait pour ces malheureux excitait en lui une peine et qu'il a trouvé moins de désagrément à se défaire de son argent en leur faveur qu'à

Thérèse réduit le Comte aux plaisirs de la petite oie.

continuer de supporter cette peine excitée par la compassion ; ou peut-être encore que l'amour-propre, flatté par la vanité de passer pour un homme charitable, est la véritable satisfaction intérieure qui l'a décidé[33]. Toutes les actions de notre vie sont dirigées par ces deux principes : se procurer plus ou moins de plaisir, éviter plus ou moins de peine. »

D'autre fois vous m'expliquiez, vous étendiez les courtes leçons que j'avais reçues de Monsieur l'Abbé T... « Il vous apprit, me disiez-vous, que nous ne sommes pas plus maîtres de penser de telle et de telle manière, d'avoir telle ou telle volonté, que nous ne sommes les maîtres d'avoir ou de ne pas avoir la fièvre. En effet, ajoutiez-vous, nous voyons, par des observations claires et simples, que l'âme n'est maîtresse de rien, qu'elle n'agit qu'en conséquence des sensations et des facultés du corps ; que les causes qui peuvent produire du dérangement dans les organes troublent l'âme, altèrent l'esprit ; qu'un vaisseau, une fibre dérangés dans le cerveau peuvent rendre imbécile l'homme du monde qui a le plus d'intelligence. Nous savons que la Nature n'agit que par les voies les plus simples, que par un principe uniforme. Or, puisqu'il est évident que nous ne sommes pas libres dans de certaines actions, nous ne le sommes dans aucune.

« Ajoutons à cela que si les âmes étaient purement spirituelles, elles seraient toutes les mêmes. Étant toutes les mêmes, si elles avaient la faculté de penser et de vouloir par elles-mêmes, elles penseraient et se détermineraient toutes de la même manière dans des cas égaux. Or c'est ce qui n'arrive point. Donc elles sont déterminées par quelque autre chose et ce quelque autre chose ne peut être que la matière[34], puisque les plus crédules ne connaissent que l'esprit et la matière.

« Mais demandons à ces hommes crédules ce que c'est que l'esprit. Peut-il exister et n'être dans aucun lieu ? S'il est dans un lieu, il doit occuper une place ; s'il occupe une place, il est étendu ; s'il est étendu, il a des parties ; et s'il a des parties, il est matière. Donc l'esprit est une chimère, ou il fait partie de la matière.

« De ces raisonnements, disiez-vous, on peut conclure avec certitude, premièrement que nous ne pensons de telle ou telle manière que par rapport à l'organisation de nos corps, jointe aux idées que nous recevons journellement par le tact, l'ouïe, la vue, l'odorat et le goût ; secondement que le bonheur ou le malheur de notre vie dépendent de cette modification de la matière et de ces idées ; qu'ainsi les génies, les gens qui pensent, ne peuvent trop se donner de soins et de peines pour inspirer des idées qui soient propres à contribuer efficacement au bonheur public et particulièrement à celui des personnes qu'ils aiment. Et que ne doivent pas faire à cet égard les pères et les mères envers leurs enfants, les gouverneurs, les précepteurs envers leurs disciples ? »

Enfin, mon cher Comte, vous commenciez à vous sentir fatigué de mes refus, lorsque vous vous avisâtes de faire venir de Paris votre bibliothèque galante, avec votre collection de tableaux dans le même genre. Le goût que je fis paraître pour les livres et encore plus pour la peinture vous fit imaginer deux moyens qui vous réussirent. « Vous aimez donc, Mademoiselle Thérèse, me dîtes-vous en plaisantant, les lectures et les peintures galantes ? J'en suis ravi : vous aurez du plus saillant ; mais capitulons, s'il vous plaît : je consens de vous prêter et de placer dans votre appartement ma bibliothèque et mes tableaux pendant un an, pourvu que vous vous engagiez de rester pendant quinze jours sans porter même la main à cette partie qui, en bonne justice, devrait bien être aujourd'hui de mon domaine et que vous fassiez sincèrement divorce au *manuélisme*[35]. Point de quartier, ajoutâtes-vous, il est juste que chacun mette un peu de complaisance dans le commerce. J'ai de bonnes raisons pour exiger celle-ci de vous : optez ; sans cet arrangement, point de livres, point de tableaux. »

J'hésitai peu : je fis vœu de continence pour quinze jours.

« Ce n'est pas tout, me dîtes-vous encore ; impo-
sons-nous des conditions réciproques : il n'est pas
équitable que vous fassiez un pareil sacrifice pour la
vue de ces tableaux ou pour une lecture momentanée.
Faisons une gageure, que vous gagnerez sans doute. Je
parie ma bibliothèque et mes tableaux, contre votre
pucelage, que vous n'observerez pas la continence
pendant quinze jours, ainsi que vous le promettez.

– En vérité, monsieur, vous répondis-je, d'un air un
peu piqué, vous avez une idée bien singulière de mon
tempérament et vous me croyez bien peu maîtresse de
moi-même.

– Oh ! Mademoiselle, répliquâtes-vous ; point de
procès je vous prie ; je n'y suis pas heureux avec vous.
Je sens au reste que vous ne devinez point l'objet de
ma proposition : écoutez-moi. N'est-il pas vrai que
toutes les fois que je vous fais un présent, votre
amour-propre paraît blessé de le recevoir d'un
homme que vous ne rendez pas aussi content qu'il
pourrait l'être ? Eh bien ! La bibliothèque et les
tableaux, que vous aimez tant, ne vous feront pas
rougir puisqu'ils ne seront à vous que parce que vous
les aurez gagnés.

– Mon cher Comte, repris-je, vous me tendez des
pièges ; mais vous en serez la dupe, je vous en avertis.
J'accepte la gageure, m'écriai-je, et je m'oblige, qui
plus est, à ne m'occuper toutes les matinées qu'à lire
vos livres et à voir vos tableaux enchanteurs. »

Tout fut porté par vos ordres dans ma chambre. Je
dévorai des yeux, ou pour mieux dire, je parcourus
tour à tour pendant les quatre premiers jours l'histoire
du *Portier des Chartreux*, celle de *La Tourière des Carmélites*, *L'Académie des Dames*, *Les Lauriers ecclésiastiques*, *Thémidore*, *Frétillon*[36], etc., et nombre d'autres
de cette espèce, que je ne quittai que pour examiner
avec avidité des tableaux où les postures les plus las-
cives étaient rendues avec un coloris et une expression
qui portaient un feu brûlant dans mes veines.

Le cinquième jour, après une heure de lecture, je
tombai dans une espèce d'extase. Couchée sur mon

lit, les rideaux ouverts de toutes parts, deux tableaux
(*Les Fêtes de Priape, Les Amours de Mars et de Vénus*)
me servaient de perspective. L'imagination échauffée
par les attitudes qui y étaient représentées, je me débar-
rassai des draps et des couvertures ; et sans réfléchir si
la porte de ma chambre était bien fermée, je me mis
en devoir d'imiter toutes les postures que je voyais.
Chaque figure m'inspirait le sentiment que le peintre
y avait donné. Deux athlètes, qui étaient à la partie
gauche du tableau des *Fêtes de Priape*, m'enchantaient,
me transportaient, par la conformité du goût de la
petite femme au mien. Machinalement ma main
droite se porta où celle de l'homme était placée et
j'étais au moment d'y enfoncer le doigt lorsque la
réflexion me retint. J'aperçus l'illusion ; et le souvenir
des conditions de notre gageure m'obligea de lâcher
prise.

Que j'étais bien éloignée de vous croire spectateur
de mes faiblesses, si ce doux penchant de la nature en
est une : et que j'étais folle, grands dieux, de résister
aux plaisirs inexprimables d'une jouissance réelle !
Tels sont les effets du préjugé : ils sont nos tyrans.
D'autres parties de ce premier tableau excitaient tour
à tour mon admiration et ma pitié. Enfin je jetai les
yeux sur le second. Quelle lasciveté dans l'attitude de
Vénus ! Comme elle, je m'étendis mollement ; les
cuisses un peu éloignées, les bras voluptueusement
ouverts, j'admirais l'attitude brillante du dieu Mars.
Le feu dont ses yeux et surtout sa lance paraissaient
animés passa dans mon cœur. Je me coulai sur les
draps, mes fesses s'agitaient voluptueusement comme
pour porter en avant la couronne destinée au vainqueur. « Quoi ! m'écriai-je, les divinités mêmes font
leur bonheur d'un bien que je refuse ! Ah ! Cher
amant, je n'y résiste plus. Parais, Comte, je ne crains
point ton dard : tu peux percer ton amante ; tu peux
même choisir où tu voudras frapper, tout m'est égal,
je souffrirai tes coups avec confiance, sans murmurer :
et pour assurer ton triomphe, tiens ! Voilà mon doigt
placé. »

Quelle surprise ! Quel heureux moment ! Vous parûtes tout à coup, plus fier, plus brillant que Mars ne l'était dans le tableau [37]. Une légère robe de chambre qui vous couvrait fut arrachée.

« J'ai eu trop de délicatesse, me dîtes-vous, pour profiter du premier avantage que tu m'as donné : j'étais à ta porte d'où j'ai tout vu, tout entendu ; mais je n'ai pas voulu devoir mon bonheur au gain d'une gageure ingénieuse. Je ne parais, mon aimable Thérèse, que parce que tu m'as appelé. Es-tu déterminée ?

– Oui, cher amant ! m'écriai-je, je suis toute à toi ; frappe-moi, je ne crains plus tes coups. »

À l'instant vous tombâtes entre mes bras ; je saisis, sans hésiter, la flèche qui jusqu'alors m'avait paru si redoutable et je la plaçai moi-même à l'embouchure qu'elle menaçait ; vous l'enfonçâtes sans que vos coups redoublés m'arrachassent le moindre cri ; mon attention, fixée sur l'idée du plaisir, ne me laissa pas apercevoir le sentiment de la douleur.

Déjà l'emportement semblait avoir banni la philosophie de l'homme maître de lui-même, lorsque vous me dîtes avec des sons mal articulés :

« Je n'userai pas, Thérèse, de tout le droit qui m'est acquis : tu crains de devenir mère, je vais te ménager ; le grand plaisir s'approche ; porte de nouveau ta main sur ton vainqueur, dès que je le retirerai et aide-le par quelques secousses à… il est temps, ma fille, je… de… plaisirs…

– Ah ! Je meurs aussi, criai-je, je ne me sens plus, je… me… pâ… me. »

Cependant j'avais saisi le trait, je le serrais légèrement dans ma main qui lui servait d'étui et dans laquelle il acheva de parcourir l'espace qui le rapprochait de la volupté. Nous recommençâmes et nos plaisirs se sont renouvelés depuis dix ans, dans la même forme, sans trouble, sans enfants, sans inquiétude [38].

Voilà, je pense, mon cher bienfaiteur, ce que vous avez exigé que j'écrivisse des détails de ma vie. Que de sots, si jamais ce manuscrit venait à paraître, se récrieraient contre la lascivité, contre les principes de

Thérèse se rend à discrétion au Comte, son amant.

morale et de métaphysique qu'il contient ! Je répondrais à ces sots, à ces machines lourdement organisées, à ces espèces d'automates accoutumés à penser par l'organe d'autrui, qui ne font telle ou telle chose que parce qu'on leur dit de les faire ; je leur répondrais, dis-je, que tout ce que j'ai écrit est fondé sur l'expérience et sur le raisonnement détaché de tout préjugé.

Oui, ignorants ! La Nature est une chimère. Tout est l'ouvrage de Dieu. C'est de lui que nous tenons les besoins de manger, de boire et de jouir des plaisirs. Pourquoi donc rougir en remplissant ses desseins ? Pourquoi craindre de contribuer au bonheur des humains, en leur apprêtant des ragoûts [39] variés, propres à contenter avec sensualité ces divers appétits ? Pourrai-je appréhender de déplaire à Dieu ni aux hommes en annonçant des vérités qui ne peuvent qu'éclairer sans nuire ? Je vous le répète donc, censeurs atrabilaires, nous ne pensons pas comme nous voulons. L'âme n'a de volonté, n'est déterminée que par les sensations, que par la matière. La raison nous éclaire ; mais elle ne nous détermine point. L'amour-propre (le plaisir à espérer ou le déplaisir à éviter) sont le mobile de toutes nos déterminations. Le bonheur dépend de la conformation des organes, de l'éducation, des sensations externes ; et les lois humaines sont telles que l'homme ne peut être heureux qu'en les observant, qu'en vivant en honnête homme. Il y a un Dieu ; nous devons l'aimer parce que c'est un Être souverainement bon et parfait. L'homme sensé, le Philosophe doit contribuer au bonheur public par la régularité de ses mœurs. Il n'y a point de culte, Dieu se suffit à lui-même : les génuflexions, les grimaces, l'imagination des hommes, ne peuvent augmenter sa gloire. Il n'y a de bien et de mal moral que par rapport aux hommes : rien par rapport à Dieu. Si le mal physique nuit aux uns, il est utile aux autres : le Médecin, le Procureur, le Financier vivent des maux d'autrui ; tout est combiné [40]. Les lois établies dans chaque région, pour resserrer les liens de la société, doivent être respectées ; celui qui les enfreint doit être puni, parce que, comme l'exemple retient les hommes mal organisés, mal intentionnés, il est juste que la punition d'un infractaire[41] contribue à la tranquillité générale. Enfin, les Rois, les Princes, les Magistrats, tous les divers supérieurs, par gradations, qui remplissent les devoirs de leur état, doivent être aimés et respectés, parce que chacun d'eux agit pour contribuer au bien de tous.

FIN

TABLE DES MATIÈRES
DE LA SECONDE PARTIE

Thérèse fait connaissance à l'Opéra avec Monsieur le Comte de… aujourd'hui son amant.

Madame Bois-Laurier achève son histoire et informe Thérèse de la manière dont elle s'est retirée de sa vie libertine.

Le Comte de… propose à Thérèse de l'entretenir et de la conduire dans ses terres.

Définition du plaisir et du bonheur : ils dépendent l'un et l'autre de la conformation et des sensations.

L'homme, pour vivre heureux, doit être attentif à contribuer au bonheur des autres ; il doit être honnête homme.

Thérèse se livre au Comte de… en qualité d'amie et part avec lui pour ses terres.

Elle réduit le Comte aux plaisirs de la petite oie.

Démonstration sur l'amour-propre : c'est lui qui décide de toutes les actions de notre vie.

Démonstration sur l'impuissance où est l'âme d'agir et de penser de telle ou de telle manière.

Réflexions sur ce que c'est que l'esprit.

Gageure du Comte avec Thérèse.

Effets de la peinture et de la lecture.

Le Comte gagne sa gageure et jouit enfin de Thérèse.

Curieuse réflexion de Thérèse pour prouver que les principes renfermés dans son livre doivent contribuer au bonheur des humains.

Elle donne un résumé de tout ce qu'il renferme.

FIN DE LA TABLE DE LA SECONDE PARTIE

NOTES

1. *Éradice* : anagramme de « Cadière ». Le roman s'ouvre straté-
giquement sur l'évocation de la chronique scandaleuse de
1731 qui justifie le sous-titre. *Dirrag* masque évidemment
« Girard ».
2. Revendication stylistique caractéristique du roman du temps.
L'avertissement aux *Lettres d'une Péruvienne* de Mme de
Graffigny (1747) portait ainsi la remarque suivante : « On
connaîtra facilement aux fautes de grammaire et aux négli-
gences du style, combien on a été scrupuleux de ne rien
dérober à l'esprit d'ingénuité qui règne dans cet ouvrage »
(*Romans de femmes du XVIII*ᵉ *siècle*, éd. R. Trousson, Laffont,
« Bouquins », 1996, p. 80).
3. L'esthétique du « détail » est typique du roman libertin, où il
apparaît comme la garantie de l'intérêt érotique du récit. On
lit sous la plume de Valmont, dans *Les Liaisons dangereuses* :
« L'aventure, par elle-même, est bien peu de chose ; ce n'est
qu'un réchauffé avec la vicomtesse de M... Mais elle m'a
intéressé par les détails » (Laclos, *Œuvres complètes*, éd.
L. Versini, Gallimard, « Bibliothèque de la Pléiade », 1979,
p. 140).
4. On peut lire dans l'*Examen de la religion ou Doutes sur la religion dont on cherche l'éclaircissement de bonne foi* : « Nous
n'avons donc point de mauvaises inclinations : tous nos penchants sont bons, parce qu'ils nous viennent de Dieu » (éd.
G. Mori, Oxford, Voltaire Foundation, 1998, p. 194).
5. *Vencerop* : anagramme de « Provence ».
6. *Rupture* : déchirure de la membrane entre le vagin et l'anus.
Voir par exemple l'article « Fourchette » de l'*Encyclopédie*.

7. Première variation sur la légende du frontispice du roman.

8. *Volnot* : anagramme de « Toulon ».

9. *Constamment* : avec constance, patiemment.

10. On a perçu longtemps la masturbation comme une pratique mortelle. Voir le succès du docteur Tissot, *L'Onanisme* (1760), et le témoignage célèbre de Rousseau dans ses *Confessions* (livre III) sur le « dangereux supplément » offert aux « jeunes gens », « aux dépens de leur santé, de leur vigueur, et quelquefois de leur vie » (*Les Confessions*, I, éd. A. Grosrichard, GF-Flammarion, 2002, p. 143).

11. *Guigui* : quoique l'expression soit absente des dictionnaires, elle se retrouve avec le même sens dans d'autres textes libertins. Ainsi de cette scène des *Tableaux des mœurs du temps*, rédigés autour de 1750 par La Popelinière et Crébillon : « AUGUSTE : Petit cousin ? Petit cousin ? qu'est-ce donc que cela ? – LE MARQUIS : C'est une guigui, mademoiselle. Prenez, prenez » (*Romanciers libertins du XVIIIe siècle*, II, éd. P. Wald Lasowski, Gallimard, « Bibliothèque de la Pléiade », 2005, p. 44).

12. *Peccadilles* : fautes bénignes (étymologiquement, « petits péchés »).

13. *Insensiblement* : par degrés. Illustration du principe de « gradation » énoncé plus haut. Voir Présentation, p. 52, note 2.

14. *Prudence* : peut ici s'entendre au sens de ménagement, modération.

15. Dans *La Philosophie dans le boudoir*, les libertins sadiens retourneront ironiquement la métaphore religieuse dans un sens directement sexuel : « Préviens Dolmancé, mets-le au fait dès qu'il arrivera, pour que le venin de ses immoralités circulant dans ce jeune cœur avec celui que j'y lancerai, parvienne à déraciner dans peu d'instants toutes les semences de vertu qui pourraient y germer sans nous » (Sade, *Œuvres*, III, éd. M. Delon, Gallimard, « Bibliothèque de la Pléiade », 1998, p. 18).

16. Dans *La Tourière des Carmélites* de Meusnier de Querlon, la mère de la narratrice, mise au couvent de force, contracte « une maladie de langueur, qui épuisa inutilement toute la science des médecins, et qui la conduisit au bord du tombeau » (*Romanciers libertins du XVIIIe siècle*, I, éd. P. Wald Lasowski, Gallimard, « Bibliothèque de la Pléiade », 2000, p. 592).

17. Comparer avec Fontenelle, qui affirme dans les *Réflexions sur l'argument de M. Pascal et de M. Locke concernant la possibilité d'une autre vie à venir* que « la raison est une lumière qui nous a été communiquée par la cause de notre existence,

quelle qu'elle soit, pour nous en servir à cette fin de nous rendre heureux en cherchant ce qui peut faire notre bien, et en évitant ce qui peut faire notre mal » (*Nouvelles Libertés de penser*, Noxia, 2000 [1743], p. 28).

18. Promenade à la mode, le jardin des Tuileries était divisé par la grande allée en deux terrasses, celle des « Feuillants » et celle des « Capucins ».

19. Affirmation déterministe qui prépare le thème de la « machine ». On lit dans *L'Homme-machine* de La Mettrie : « Nous pensons, et même nous ne sommes honnêtes gens, que comme nous sommes gais ou braves ; tout dépend de la manière dont notre machine est montée » (éd. P.-L. Assoun, Gallimard, « Folio », 1999 [1981], p. 153).

20. Mot d'ordre empiriste qui souligne la nécessaire articulation du « raisonnement » à « l'exemple ». Il s'agit ici d'une « expérience de pensée », plutôt que d'une procédure vraiment expérimentale, caractéristique de l'imaginaire pédagogique du siècle qui cherche comment distinguer les effets de la « nature » de ceux de l'« éducation ».

21. Voir *L'Homme-machine*, *op. cit.*, p. 148 : « Autant de tempéraments, autant d'esprits, de caractères et de mœurs différente. »

22. Ce résumé démarque l'*Examen de la religion* : « Un fou croit faire librement tout ce qu'il fait, et nous croyons agir librement dans nos actions ordinaires. Cependant, un certain mouvement des liqueurs, ou une certaine disposition des organes, fait l'homme passionné, une autre l'homme sage et une autre l'homme fou : la nature est uniforme. Supposer l'homme libre, et qu'il se détermine par lui-même, c'est le faire égal à Dieu, c'est faire faire ce que Dieu même ne peut pas faire » (*op. cit.*, p. 199).

23. Tableau à comparer avec le récit des débuts en dévotion du frère Côme dans *Le Triomphe des religieuses ou les Nonnes babillardes* : « Je n'avais encore porté que la haire et le cilice, la discipline la plus cruelle outrageait journellement mes épaules, les jeûnes et les mortifications altéraient ma vigueur, et je m'enterrais pour ainsi dire tout vivant » (*Œuvres anonymes du XVIIIᵉ siècle*, III, Fayard, « L'Enfer de la Bibliothèque nationale », 1986, p. 216).

24. *Avait connu d'abord* : avait compris immédiatement.

25. *Cafard* : faux dévot. On lit dans le *Portier des Chartreux* : « Demandez plutôt à ces cafards de prêtres, à ces hypocrites, qui portent la mortification sur leurs faces blêmes et hideuses, et la luxure, la paillardise la plus sensuelle dans leur

cœur corrompu. Comment font-ils ? » (*Romanciers libertins du XVIIIᵉ siècle*, I, *op. cit.*, p. 418-419).

26. Jean, 11, 1-44.

27. Allusion, ici burlesque, au célèbre ouvrage du fondateur de la Compagnie de Jésus (en 1540), Ignace de Loyola, *Exercices spirituels* (1548).

28. Cette providentielle tapisserie rappelle la première scène voyeuriste du *Portier des Chartreux* : « Je ne fus pas à cette peine ; en cherchant doucement avec la main si je ne trouverais pas quelque trou à la cloison, j'en sentis un qui était couvert par une grande image. Je la perçai, et me fis jour. Quel spectacle ! » (*Romanciers libertins du XVIIIᵉ siècle*, I, *op. cit.*, p. 337).

29. Référence explicite à une scène fameuse : Molière, *Le Tartuffe ou l'Imposteur*, III, II.

30. Le cordon « se prend aussi pour une petite cordelette bénite que portent ceux qui sont de certaines confréries. *Le cordon de saint François d'Assise. Le cordon de saint François de Paul. Il est de la Confrérie du Cordon*, ou simplement, *Il est du Cordon* » (*Dictionnaire de l'Académie française*, I, Paris, 1740, p. 371). Les « stigmates » renvoient évidemment à François d'Assise.

31. Jean, 10, 1-6.

32. Dirrag utilise dans ce passage un vocabulaire cartésien.

33. Notons que cette scène sera reprise par Sade dans *Justine ou les Malheurs de la vertu* (1791).

34. *Rubiconde* : d'un rouge vif.

35. Lien satirique entre les jésuites et l'homosexualité. Voir par exemple Voltaire, *Candide*, chap. XV.

36. *Enfiler la route canonique* : expression plaisante qu'on retrouve encore dans un épisode des *Décrets des sens sanctionnés par la volupté* (1793) qui met en scène un moine paillard : « Alors il se mit en devoir d'enconner. Mais, ô prodige ! comme il enfilait la route canonique, un effroyable son de cornet partit de dessous le lit » (*Œuvres anonymes du XVIIIᵉ siècle*, IV, Fayard, « L'Enfer de la Bibliothèque nationale », 1987, p. 298). Les libertins sadiens, quant à eux, parlent avec plus de distance méprisante de « la route ordinaire » (*La Philosophie dans le boudoir*, dans Sade, *Œuvres*, III, *op. cit.*, p. 18).

37. *Compasser* : « mesurer avec le compas. [...] On disait en termes d'exercices militaires, *compasser la mèche*, pour dire, la proportionner si bien sur le serpentin, qu'elle donne juste sur le bassinet. On dit aussi au figuré *compasser ses actions, ses*

démarches, pour dire, les bien régler » (*Dictionnaire de l'Académie française*, I, *op. cit.*, p. 320).

38. Pour les molinistes, observants de la doctrine du jésuite Luis Molina (1535-1600), Dieu accorde à l'homme une « grâce suffisante » : l'homme, après la Faute, a encore le moyen de faire le bien en utilisant le concours de cette grâce, s'il veut vraiment se sauver ; la grâce ne peut être « efficace » qu'à cette condition. En revanche, le jansénisme affirme que la grâce est gratuite, qu'elle ne s'obtient pas par les « œuvres » en ce monde. Voir *infra*, note 42.

39. *Pénaillon* : terme de mépris pour « moine ». On le trouve dans la seconde partie du *Portier des Chartreux*, à l'occasion d'une violente diatribe contre les moines : « Hé, quel intérêt prendrait-on à voir un pénaillon disputer envers et contre tous, mettre le bon sens à la raison, à la gêne dans des arguments en baroco, dans des distinctions subtiles que lui-même n'entendrait pas : j'en fais grâce » (*Romanciers libertins du XVIIIe siècle*, I, *op. cit.*, p. 435).

40. *Restaurant* : moyen de retrouver l'énergie sexuelle. L'impuissance, comme dans beaucoup de romans du temps, est ici la marque de l'usure dans la débauche.

41. Les éditions illustrées par ENFER-402 et 403 utilisent curieusement « extase » au masculin. Le *Dictionnaire de l'Académie française* (I, *op. cit.*, p. 654) ne signale pas cet emploi. L'extase y est définie comme « ravissement d'esprit, suspension des sens »…

42. On reconnaît les « molinistes » et les « jansénistes ».

43. Le texte d'origine porte « leur empêche » : la construction en régime indirect du verbe « empêcher » avec la préposition « à » est grammaticalement attestée. Grévisse la signale comme un archaïsme, voire un régionalisme.

44. *Lôde* : anagramme de « Dole ».

45. Au moment du procès, Girard a en fait cinquante et un ans. Comme le note justement Jacques Duprilot dans son édition, le narré du roman « ne découle pas d'une enquête approfondie » (*Thérèse philosophe*, Genève-Paris, Slatkine Reprints, 1980, p. 11).

46. La devise de la Compagnie de Jésus est « *Ad majorem dei gloriam* ». On a déjà trouvé la formule plus haut chez Dirrag lui-même.

47. *Onction* : elle est ici bien ironisée. On lit dans l'*Examen de la religion*, *op. cit.*, p. 149 : « L'onction dépend du tempérament, c'est le propre des tempéraments tendres : M. de Fénelon, archevêque de Cambrai, écrivait avec onction contre M. de Bossuet, évêque de Meaux. » Sade se souvient à l'évidence de

cette double source dans le portrait qui annonce Dolmancé :
Mirvel explique que « l'irréligion, l'impiété, l'inhumanité, le
libertinage découlent des lèvres de Dolmancé, comme autre-
fois l'onction mystique, de celles du célèbre archevêque de
Cambrai » (*La Philosophie dans le boudoir*, dans Sade, *Œuvres*,
III, *op. cit.*, p. 10).

48. Le *Dictionnaire de l'Académie* (I, *op. cit.*, p. 365) précise à
propos de ce terme : « Il n'est que du style familier. » Dans le
contexte des querelles religieuses et des discussions de l'âge
classique sur le principe de tolérance, c'est un mot polémique
dont le sens est évidemment péjoratif. Il est employé comme
tel par Pierre Bayle. On le retrouvera dans le *Traité sur la tolérance* de Voltaire : « Pierre Calas, en sortant de la ville, ren-
contra un abbé convertisseur qui le fit rentrer dans Toulouse ;
on l'enferma dans un couvent de dominicains, et là on le
contraignit à remplir toutes les fonctions de la catholicité »
(éd. R. Pomeau, GF-Flammarion, 1989, p. 38).

49. *La Société* : la Compagnie des Jésuites.

50. *Huit pouces de longueur* : soit environ 21 centimètres…

51. *Topos* satirique du roman érotique. Dans le *Portier des Chartreux*, sœur Monique ramasse sur le sol du couvent un gode-
miché, supputant malignement que c'est « avec cet instrument que nos bonnes mères se consolaient des rigueurs du
célibat » (*Romanciers libertins du XVIIIe siècle*, I, *op. cit.*, p. 361).
Dans *Le Triomphe des religieuses ou les Nonnes babillardes*,
Agnès trouve les « tristes godemichés » bien insipides comparés à « la pièce d'introduction virile » (*Œuvres anonymes du
XVIIIe siècle*, III, *op. cit.*, p. 212). Les godemichés font leur
apparition dans le cinquième dialogue de *La Philosophie dans
le boudoir*, où ils sont les adjuvants de l'intensivisme libertin :
il s'agit évidemment alors de se servir « du plus énorme »
(Sade, *Œuvres*, III, *op. cit.*, p. 103). Les godemichés apparaissent aussi dans un érotique anonyme bien connu au
XVIIIe siècle, *L'Éducation des filles* (1655). Brantôme fait men-
tion des « godemichis », mais c'est pour conclure : « Tels instruments sont enfin très dangereux » (*Les Dames galantes*,
Gallimard, « Folio », 1981, p. 196). On notera que Thérèse
n'en use pas, bien que, plus loin, l'abbé les recommande à
Madame C…

52. Voir la Présentation, p. 14.

53. *Moniche* : terme argotique pour le sexe féminin.

54. Sur la physiologie matérialiste du sommeil, dont on a ici
une illustration, voir La Mettrie, *Traité de l'âme*, XII, 5 :
« Du sommeil et des rêves ». Si « l'âme sensitive est comme
anéantie », explique le médecin, c'est qu'il y a une dépen-

dance étroite, organique, entre le corps et l'âme. On lit dans *L'Homme-machine* (*op. cit.*, p. 150) cette belle formule : « L'âme et le corps s'endorment ensemble. »

55. Signes d'un climat épicurien qui annonce ici la « philosophie » et ses agréments. Voir Serge Safran, *L'Amour gourmand. Libertinage gastronomique au XVIIIe siècle*, La Musardine, 2000, p. 108 et 115. Les vertus euphorisantes du champagne (déjà évoqué, en compagnie des huîtres, un peu plus haut) vont permettre à Thérèse de se confier. Plus loin, on trouvera de nouveau le café, servi par Madame C..., et surtout le « chocolat »...

56. L'« ingénuité » de Thérèse, annoncée dans l'incipit comme marque du style, apparaît ici comme un agent d'érotisation du discours. Dans *La Philosophie dans le boudoir*, c'est en écoutant Eugénie exprimer ses désirs avec une spontanéité naïve que Dolmancé arrive à une excitation particulière : « Je n'y tiens pas ! laissons-la faire, madame, cette ingénuité me fait horriblement bander » (Sade, *Œuvres*, III, *op. cit.*, p. 18).

57. Elle est donc d'extraction noble.

58. C'est la seule situation juridique qui permette éventuellement l'indépendance à une femme : ainsi de la Célimène du *Misanthrope* de Molière, ou de Mme de Merteuil (qui reste toutefois suspendue à un procès en héritage).

59. Madame C... a pu servir de modèle à Saint-Ange qui, dans *La Philosophie dans le boudoir*, a été mariée à quatorze ans avec un barbon et qui a vingt-six ans quand débute l'action.

60. *Enthousiaste* : le terme est péjoratif ; il désigne un état de délire associé à l'ivresse religieuse. On lit à l'article « Enthousiasme » du *Dictionnaire philosophique* de Voltaire : « L'esprit de parti dispose merveilleusement à l'enthousiasme, il n'est point de faction qui n'ait ses énergumènes. L'enthousiasme est surtout le partage de la dévotion mal entendue » (Oxford, Voltaire Foundation, 1994, II, p. 59-60).

61. *Occasion* : le mot appartient au lexique libertin. Chez Crébillon, l'« occasion » (du latin *occidere*, « tomber ») est ce qui se présente dans ce que le bon libertin doit saisir comme un « moment » pour séduire une femme, c'est-à-dire la faire chuter : « Une certaine disposition des sens aussi imprévue qu'elle est involontaire » qui, si elle est reconnue, va être exploitée (Crébillon, *Le Hasard du coin du feu*, éd. J. Dagen, GF-Flammarion, 1993, p. 169). Mais on doit aussi penser aux « causes occasionnelles » de la théologie malebranchiste, par lesquelles Dieu intervient *indirectement* sur notre conduite. Le texte ménage peut-être ici l'ambiguïté du double registre.

62. Formulation à comparer avec celle de l'*Examen de la religion*, où on lit que « tous nos penchants sont bons, parce qu'ils viennent de Dieu […] et ce que nous appelons mauvais penchant est un instinct que Dieu nous a donné, qui donne le branle à tout ce que nous faisons, soit pour notre propre conservation particulière ou pour celle de la société » (*op. cit.*, p. 194).

63. Le bosquet, quintessence du jardin « travaillé » par l'art, est un *topos* de la géographie galante du roman libertin. Voir Michel Delon, *Le Savoir-vivre libertin*, Hachette, 2000, p. 134-139.

64. Celui qu'on appelle « insulaire » est l'illustration du mythe du « bon sauvage », déjà constitué à la Renaissance. La grande souplesse des liens amoureux et sexuels chez les Indiens qu'on appelle « caraïbes » est devenu un *topos* au XVIIIᵉ siècle. Voir en particulier La Hontan, *Nouveaux Voyages dans l'Amérique septentrionale* (1703).

65. Le lecteur du temps ne peut songer à Usbek dans les *Lettres persanes* de Montesquieu (1721).

66. Distinction typique du roman libertin du temps. Dans *Les Confessions du comte de ****, de Duclos (1741), le narrateur constate en ces termes son propre détachement à l'égard de sa maîtresse : « [J]e n'étais point constant, je devins infidèle » (*Romans libertins du XVIIIᵉ siècle*, I, *op. cit.*, p. 254). L'inconstance tient du penchant naturel, l'infidélité est une trahison morale.

67. *Houspiller* : tirailler, secouer. Le *Dictionnaire critique de la langue française* de Féraud (II, Paris, 1787, p. 408) note : « Il est du style familier et plaisant. »

68. *Une petite fille* ad hoc : une prostituée.

69. Dans *L'Homme-machine*, La Mettrie écrit à propos du plaisir de l'étude philosophique : « Amusement dans la jeunesse, dont il tempère les passions fougueuses ; pour le bien goûter, j'ai été quelquefois forcé de me livrer à l'amour. L'amour ne fait point de peur à un sage : il sait tout allier et tout faire valoir l'un par l'autre » (*op. cit.*, p. 139). L'« amour » dont il est ici question est le même que celui dont parle l'abbé…

70. Le prudent programme de l'abbé est en deçà des possibilités que savent se réserver certaines libertines. La marquise de Merteuil saura, elle, où les trouver, ces « hommes tout prêts », dans la solitude de la « campagne » où la relègue son mariage : « [N]e m'y trouvant entourée que de gens dont la distance avec moi me mettait à l'abri de tout soupçon, j'en

profitai pour donner un champ plus vaste à mes expériences [...] » (Laclos, *Œuvres complètes, op. cit.*, p. 173).

71. On peut mesurer la distance avec *La Philosophie dans le boudoir*, où cette sage hiérarchie « genrée », qui suppose que la femme intériorise dans sa pratique sexuelle les interdits sociaux – éviter la pénétration quand on est fille, éviter la grossesse suspecte dans tous les cas –, est battue en brèche par un discours violemment émancipateur (voir par exemple le troisième dialogue, dans Sade, *Œuvres*, III, *op. cit.*, p. 35-36) au service de cette application particulière de l'intensivisme libertin qu'est le *putanisme* féminin.

72. Cet énoncé audacieux a dû attirer l'attention de Sade, dont toutes les œuvres s'attaquent inlassablement à la prétendue visée procréative de la nature. On lit dans *La Philosophie dans le boudoir* que « la propagation n'est nullement le but de la nature, elle n'en est qu'une tolérance » (*Œuvres*, III, *op. cit.*, p. 63).

73. *La petite oie* : elle peut désigner l'accessoire d'un vêtement, mais le sens d'origine est culinaire – c'est ce qu'on retranche de l'oie pour la faire rôtir, les petites parties. Au figuré, l'expression renvoie aux menues faveurs ou aux préliminaires. Ce qui fait peut-être le lien, c'est l'idée d'une sexualité primaire, incomplète, encore accessoire au regard de ce qui serait « essentiel » ou vraiment nutritif... On retrouve la formule dans la huitième des *Cent Vingt journées de Sodome* de Sade (*Œuvres*, I, éd. M. Delon, Gallimard, « Bibliothèque de la Pléiade », 1990, p. 149).

74. L'abbé pointe ici une inconséquence qui avait déjà été soulignée par la célèbre lettre CXVII d'Usbek sur le célibat des prêtres dans son rapport à la dépopulation : « Je trouve que leurs docteurs se contredisent manifestement, quand ils disent que le mariage est saint, et que le célibat, qui lui est opposé, l'est encore davantage ; sans compter qu'en fait de préceptes et de dogmes fondamentaux, le bien est toujours le mieux » (Montesquieu, *Lettres persanes*, éd. P. Vernière, mise à jour par C. Volpilhac-Auger, Le Livre de Poche, 2005, p. 363). Il s'agit d'un thème récurrent dans la première moitié du siècle.

75. L'argument, courant dans la pensée matérialiste et athée, est ici utilisé de façon retorse, car il prétend défendre le point de vue déiste. L'abbé dit pourtant clairement qu'on ne peut pas en raison « concilier » l'existence proclamée de Dieu avec celle du Mal (problème de la Théodicée) et des mauvais penchants de l'homme. On lit par exemple dans les *Réflexions sur l'existence de l'âme et sur l'existence de Dieu*, attribuées à

Dumarsais : « Et ce Dieu, pourquoi nous punirait-il de l'infraction faite à ses lois ? Pourquoi les prescrivait-il ? Si l'observation de ces lois est utile, le Dieu raisonnable devait nous donner les moyens de les observer et nous ôter ceux de les enfreindre ; si elle est inutile, ce Dieu juste ne devait pas les prescrire » (*Nouvelles Libertés de penser, op. cit.*, p. 99).

76. Ce déisme pourrait être d'inspiration malebranchiste : Dieu est l'auteur premier du système général de l'univers, mais n'intervient pas directement sur les infractions particulières qui s'y commettent et qui ne remettent pas en question la perfection générale de l'ordre divin. Néanmoins, le discours glisse ici sans cesse vers les énoncés de type matérialiste.

77. Définition du « premier moteur » qu'on retrouve notamment dans le *Traité des trois imposteurs*, où Dieu est « l'être universel dans lequel, pour parler comme saint Paul, nous avons la vie, le mouvement et l'être » (éd. P. Rétat, Saint-Étienne, Universités de la région Rhône-Alpes, 1973, p. 24).

78. Tout ce passage est très proche de l'*Examen de la religion*, chap. IX. Un voleur « nuit à la société », pas à Dieu : « Que les hommes le punissent donc ! Qu'ils le retranchent de la société, comme une machine mal réglée ; mais le Créateur, qui l'a fait, n'a rien à punir en lui » car « il fait le bien par rapport à lui et le mal par rapport aux autres, et rien par rapport à Dieu » (*op. cit.*, p. 196-197). L'argument est inspiré de Spinoza, *Éthique*, IV.

79. Dans le *Traité de la liberté*, Fontenelle dit des criminels qu'on peut les « corriger, parce qu'à force d'exhortations et d'exemples, on peut mettre dans leur cerveau les dispositions qui les déterminent à la vertu » ; ce sont néanmoins « des monstres qu'il faut étouffer en les plaignant » (*Nouvelles Libertés de penser, op. cit.*, p. 87). Le supplice des contrevenants « épouvante ceux qui seraient portés à leur ressembler » (*ibid.*).

80. *Ce trait de politique* : c'est-à-dire d'habileté diplomatique, de prudence.

81. Le supposé déisme de l'abbé est ici explicitement démasqué. Dans *La Philosophie dans le boudoir*, l'athéisme militant et conséquemment matérialiste de Dolmancé se refusera en revanche à cette position : « Me dira-t-on à cela que Dieu et la nature sont la même chose, ne serait-ce pas une absurdité ? La chose créée ne peut être égale à l'être créant ; est-il possible que la montre soit l'horloger ? » (Sade, *Œuvres*, III, *op. cit.*, p. 28).

82. *Ruelle* : espace situé entre le lit et le mur.

83. *Fermentation* : « agitation, division et raréfaction des parties par le moyen du ferment » (*Dictionnaire de l'Académie française*, I, *op. cit.*, p. 682). Cette définition purement technique maintient le terme dans le domaine de la chimie et de la médecine, où il désigne en effet un processus d'altération réciproque de corps naturels. Dans le long article que lui consacre l'*Encyclopédie* (VI, 1756), il est associé à la théorie de l'école « chimique » de la médecine des « humeurs » représentée par Vanhelmont. Mais le mot se déplace au XVIIIe siècle dans d'autres registres, comme en témoigne par exemple Merteuil dans *Les Liaisons dangereuses* : « Ma tête seule fermentait ; je ne désirais pas de jouir, je voulais savoir ; le désir de m'instruire m'en suggéra les moyens » (Laclos, *Œuvres complètes*, *op. cit.*, p. 172). Ici, la « fermentation » désigne plutôt l'excitation sexuelle. Il est intéressant que le même mot puisse se rapporter à une opération de l'esprit et à une opération du corps...

84. On lit dans l'*Examen de la religion* : « Si rien n'arrive que par les règles du mouvement déterminées, si le corps de l'homme ne se remue que conformément à ces règles, comment Dieu peut-il nous punir ? Pouvons-nous ne pas les suivre ? » (*op. cit.*, p. 195). Une grande partie des arguments de la dissertation de l'abbé est redevable à l'influence de ce texte clandestin.

85. « [L]a raison est une lumière qui vient constamment de Dieu, et Dieu ne saurait nous tromper » (*ibid.*, p. 144).

86. *Topos* du libertinage érudit, que l'on trouve par exemple chez La Mothe Le Vayer ou Pierre Charron et dont un Voltaire fera le plus constant usage : la diversité des religions et les variations contradictoires des discours religieux (les « contrariétés ») manifestent leur caractère humain, trop humain. Voir encore l'*Examen de la religion*, *op. cit.*, chap. V-VII.

87. Genèse, 3, 8-9.

88. Job, 1, 6-12. Le Diable y est nommé « l'Adversaire ».

89. Genèse, 6, 5-6 : « Le Seigneur vit que la méchanceté de l'homme se multipliait sur la terre : à longueur de journée, son cœur n'était porté qu'à concevoir le mal et le Seigneur se repentit d'avoir fait l'homme sur la terre. » C'est à ce même passage, mais en des termes beaucoup plus violents, que Dolmancé fait référence dans le troisième dialogue de *La Philosophie dans le boudoir*, où il stigmatise en Dieu « un être inconséquent et barbare, créant aujourd'hui un monde, de la construction duquel il se repent demain », et « un être faible

qui ne peut jamais faire prendre à l'homme le pli qu'il voudrait » (Sade, *Œuvres*, III, *op. cit.*, p. 28).

90. Voir l'*Examen de la religion*, *op. cit.*, p. 157 : « Si l'on voulait entrer dans un plus grand détail, il ne serait pas bien difficile de faire voir que la religion chrétienne nous donne une idée plus basse de Dieu qu'aucune autre religion n'a jamais fait. »

91. L'existence du Diable appartient à l'arsenal classique des arguments de la pensée irréligieuse pour souligner l'impuissance divine. On lit, par exemple, dans le *Traité des trois imposteurs* : « Or comment est-il possible de concevoir que Dieu conserve une créature, qui non seulement le hait mortellement et le maudit sans cesse, mais qui s'efforce encore de lui débaucher ses amis pour avoir le plaisir de le mortifier ? » (*op. cit.*, p. 100).

92. C'est le jansénisme qui est visé.

93. « On n'a besoin que d'un peu de bon sens pour juger que Dieu n'est ni colère ni jaloux », peut-on lire au début du *Traité des trois imposteurs* (*op. cit.*, p. 6).

94. Cette fois, l'attaque porte sur les jésuites.

95. *Mauviette* : alouette grasse. Le paragraphe fait évidemment allusion à l'observance des « jours gras » et des « jours maigres ».

96. Idée que le vrai Dieu, simple « moteur » à l'origine de toutes choses, ne demande qu'un culte intérieur, sans inutiles formalités. Le thème court dans la plupart des manuscrits clandestins : la vénération religieuse, cultivée par le complot sacerdotal, signifierait d'abord que les hommes ont fait Dieu à leur image, lui donnant en particulier leurs passions, telles la vanité et le goût du pouvoir. « Le peuple grossier et accoutumé aux flatteries des sens demande un Dieu qui ressemble aux rois de la terre », note le *Traité des trois imposteurs* (*op. cit.*, p. 25).

97. Démarquage de l'*Examen de la religion*, *op. cit.*, p. 210 : « L'homme n'est pas fait pour être oisif : il faut qu'il s'occupe à quelque chose, et toujours avoir pour but la société. »

98. Ce récit démystificateur des origines des religions condense toute la littérature clandestine « impie » du temps.

99. On trouvera encore – très provisoirement ! – chez Dolmancé la trace de cet « *ego*-altruisme », selon la formule de Michel Delon, caractéristique de la pensée des Lumières, affirmant que le bonheur « consiste à rendre les autres aussi fortunés que nous désirons de l'être nous-mêmes » (*La Philosophie dans le boudoir*, dans Sade, *Œuvres*, III, *op. cit.*, p. 118).

100. À cela près qu'elle a déjà vingt-cinq ans, la situation de Thérèse est la même que celle de l'héroïne de Marivaux au

début de *La Vie de Marianne* (1731) après la mort de sa mère adoptive : « Enfin me voilà seule, et sans autre guide qu'une expérience de quinze ans et demi, plus ou moins » (Marivaux, *Romans, récits, contes et nouvelles*, éd. M. Arland, Gallimard, « Bibliothèque de la Pléiade », 1949, p. 94).

101. Le grotesque physique participe du ridicule du « Financier » : c'est un *topos* qu'on retrouve dans *Margot la ravaudeuse* ou dans *Lucette ou les Progrès du libertinage* (1765), de Nougaret, pour ne citer que ceux-là. Sur le lien entre luxure et laideur physique, voir Michel Delon, « L'âge et le grotesque », *Le Savoir-vivre libertin*, *op. cit.*, p. 301-316.

102. *Amoureux* : au sens sexuel.

103. *Par réflexion* : par ruse, avec un dessein prémédité.

104. Le bidet, nouveauté du mobilier hygiénique, apparaît comme un accessoire indispensable à la courtisane. Voir par exemple la toilette que Mme Florence, la maquerelle, impose à l'héroïne dans *Margot la ravaudeuse* : « Aussitôt elle m'introduisit dans une petite garde-robe ; et m'ayant fait mettre à califourchon sur un bidet, elle m'y donna la première leçon de propreté » (*Romanciers libertins du XVIIIᵉ siècle*, I, *op. cit.*, p. 812). Dans *La Philosophie dans le boudoir*, en revanche, Dolmancé conseille à Eugénie d'« évite[r] le bidet » après une sodomie, précisément pour *ne pas* se purifier de l'acte impur par excellence (*Œuvres*, III, *op. cit.*, p. 63).

105. *Une fille du bon air* : entendre « une courtisane ».

106. *Lavabo* : le terme, qui signifie en latin « je laverai », est le premier mot d'une prière rituelle du prêtre qui se lave les mains lors de la messe. Il désigne alors le meuble que nous connaissons aujourd'hui sous ce nom, mais dans le contexte, il est sacrilège.

107. *La petite maison* : située dans un quartier discret ou dans les environs immédiats de la capitale, elle est le lieu libertin par excellence. Dans les riches milieux de l'aristocratie et de la finance, il est de bon ton d'en posséder une. C'est là qu'on organise les soirées fines. Jean-François de Bastide y consacre une nouvelle en 1758, *La Petite Maison*.

108. La présence de ce canapé, mobilier codé de la fiction galante, connote l'atmosphère libertine : on songe évidemment au conte fameux de Crébillon, *Le Sopha* (1742). La remarque vaudrait aussi pour « l'ottomane »…

109. *Faire du lutin* : faire du bruit. On dit aussi « faire le lutin ».

110. *Détail* : le terme peut s'employer au singulier pour désigner l'ensemble de « tout ce qu'il y a de circonstances et de particularités » dans un récit (*Dictionnaire de l'Académie française*, I, *op. cit.*, p. 490). Voir aussi p. 201, note 3.

SECONDE PARTIE

1. *Singulier* : au double sens d'« unique » et de « bizarre », qu'on trouve dans les dictionnaires du temps. Voir *infra*, note 3.
2. Les *Ragionamenti* de l'Arétin sont le prototype de la représentation de postures qui nourriront l'imaginaire de l'illustration libertine durant tout l'âge classique. La première traduction française paraît à Lyon en 1580 sous le titre *Le Miroir des courtisanes*. Le XVIIIᵉ siècle n'en connaît que des extraits. Mais ce qui circule surtout, sous les divers titres de *Postures arétines* ou *Figures de l'Arétin*, ce sont des reproductions inspirées de trois grandes séries d'estampes gravées au XVIᵉ siècle en Italie : *I Modi* (« Les postures »), par Raimondi sur des dessins de Jules Romain, *Les Amours des dieux* (1527) et *Le Lascivie* à la fin du siècle, sur des dessins du Carrache. Les estampes que contemple Thérèse à la fin du roman relèvent de cette tradition.
3. *Bizarre* : dans la langue classique, l'adjectif a un sens très fort ; il signifie « fantasque, extravagant, capricieux », mais aussi « figurément, extraordinaire, et hors de l'usage commun » (*Dictionnaire de l'Académie française*, I, *op. cit.*, p. 163). La « fantaisie » relève, de même, du lexique de l'écart à la norme, de l'excentricité absolue.
4. Le prénom « Manon » est-il un souvenir de Prévost ?
5. La situation de la jeune fille, pour le coup, rappelle vraiment celle de la Marianne de Marivaux, logée et entretenue par Mme Dutour pour le profit de M. de Climal, à ceci près que B... est un « Financier » cynique et Climal un faux dévot – soit deux figures traditionnelles de la satire sociale à l'âge classique...
6. *Faire guinder* : conduire à l'érection.
7. L'impénétrabilité est assimilée non à une curiosité physiologique, mais à un « enchantement » féerique : l'italique signale que l'usage du terme est burlesque.
8. *Exempt* : « officier de certaine compagnie de gardes » (*Dictionnaire de l'Académie française*, I, *op. cit.*, p. 647).
9. *Orvales* : selon Pierre Saint-Amand, qui s'appuie sur le Littré, le mot désignerait les dégâts causés par la grêle, la gelée, ou des éboulements. Il serait donc employé ici figurément, d'autant que l'héroïne vient d'être comparée à un champ... qui se doit d'éviter les catastrophes naturelles pour fructifier. La liste des précautions contre les maladies véné-

riennes constitue un motif obligé du « roman de la courtisane ».

10. *Rhumes ecclésiastiques* : l'expression, tout à fait répandue, désigne par dérision les gonorrhées, ou blennorragies.

11. Nouvelle variation sur la légende du frontispice du roman.

12. Pierre Saint-Amand indique qu'il s'agit sans doute du chirurgien Jean-Louis Petit (1674-1750), fondateur de l'Académie de chirurgie.

13. *Détonne* : c'est-à-dire modifie la tonalité musicale dans laquelle est écrit le morceau chanté.

14. Le cabinet ou boudoir tapissé de miroirs est un *topos* du roman libertin. Il se signale comme tel dans *Angola* de La Morlière (1746), à l'occasion d'une scène de séduction du héros par Zobéide, qui a soin de le conduire à « un cabinet reculé », « revêtu de glaces » et, sur les panneaux, d'« aventures galantes » (*Romanciers libertins du XVIII*ᵉ *siècle*, I, *op. cit.*, p. 711). Dans *La Philosophie dans le boudoir*, Saint-Ange explique à Eugénie la fonction de « toutes ces glaces » : « C'est pour que, répétant les attitudes en mille sens divers, elles multiplient à l'infini les mêmes jouissances aux yeux de ceux qui les goûtent sur cette ottomane » (Sade, *Œuvres*, III, *op. cit.*, p. 20). Dans *Point de lendemain* de Vivant Denon (1777), le héros entrant dans le cabinet secret se retrouvait aussi « dans une vaste cage de glaces » (éd. M. Delon, Gallimard, « Folio », 1995, p. 58). Comme avec notre « voluptueux Courtisan », la multiplication des miroirs sert de fortifiant au vieux mari de Madame de T… : ce sont des « ressources artificielles » (*ibid.*, p. 55).

15. *En habit de combat* : comprendre « en érection et prêt à l'emploi ».

16. Souvenir possible, quant à l'onomastique, du *Portier des Chartreux*, où on peut lire, dans une diatribe satirique contre les passions sensuelles des moines, ce portrait-type : « Vous avez fait connaissance avec le père Hilaire, serrez bien les cordons de votre bourse, vous avez affaire au plus adroit fripon » (*Romanciers libertins du XVIII*ᵉ *siècle*, I, *op. cit.*, p. 433-434).

17. *Ne s'amusait point à la moutarde* : ne perdait pas son temps.

18. *Gourmades* : coups de poing (registre familier).

19. *Frappards* : moines débauchés.

20. ENFER-402 : « d'un ton de fureur bachique ».

21. *Haniquiner* : Pierre Saint-Amand suggère le lien avec « hennequiner », qui signifie « baiser en chien, par secousses ».

22. *Faire capot* : chavirer (terme de marine).

23. *Exhibation* : vomissement.

24. *Le plaisir antiphysique* : la sodomie. Dans *La Philosophie dans le boudoir*, Saint-Ange parle des « goûts antiphysiques » de son époux (Sade, *Œuvres*, III, *op. cit.*, p. 42). L'allusion qui suit à l'Italie est un lieu commun satirique sur le « vice italien », comme on disait déjà à la fin du Moyen Âge…

25. C'est précisément sur cette idée que se fondera Dolmancé pour affirmer la vanité des liens filiaux. Il apostrophe ainsi la mère d'Eugénie : « Quand M. de Mistival, ou je ne sais qui, vous lança dans le vagin les gouttes de foutre qui firent éclore Eugénie, l'aviez-vous en vue pour lors ? Non, n'est-ce pas ? » (*La Philosophie dans le boudoir*, dans Sade, *Œuvres*, III, *op. cit.*, p. 166).

26. *Quadrille* : jeu de cartes.

27. Nouvelle variation sur la légende du frontispice.

28. Le texte de l'édition que nous suivons porte « firent place au raisonnement », ce qui est manifestement une coquille.

29. Le passage au vouvoiement signale le changement de ton : la fin du récit est celui de la conversion à l'honnêteté. Ce n'est plus la courtisane qui parle à une compagne de débauche, mais la femme convenable qui s'adresse à une amie respectée.

30. *Topos* romanesque au XVIIIᵉ siècle. Ici, la métamorphose est une chance. Ce n'est pas le cas pour Héléna, l'héroïne de *La Jeunesse du Commandeur* (Prévost, 1741), qui est abandonnée par son amant lorsqu'elle lui revient défigurée par la petite vérole. En revanche, la vicomtesse de Vassy, dans l'une des histoires insérées du roman épistolaire de Sénac de Meilhan, *L'Émigré* (1797), aura le bonheur de voir son ancien amant la reconnaître et l'aimer de nouveau en dépit d'un changement d'apparence complet dû à la même maladie.

31. Le comte cumule ici des caractères que la tradition antique stoïque et épicurienne attribue au « sage » : le refus du mariage et la défiance à l'égard de la société en tant qu'elle charrie des opinions vulgaires et communes. (Sur la reprise de cette tradition dans les manuscrits du libertinage philosophique, voir notamment le *Theophrastus redivivus*, 6ᵉ traité, chap. IV : « Le modèle du sage ».)

32. Nouvel énoncé de « l'*ego*-altruisme » défini par l'abbé. Appliqué à l'acte sexuel, il suppose une harmonieuse réciprocité de la jouissance. On est loin des libertins sadiens, chez qui le despotisme égoïste préside au contraire à la recherche de plaisir, comme chez le terrible Ben Mâacoro d'*Aline et Valcour*, qui affirme que « l'objet, dans ces moments-là, n'est pas de donner, mais de recevoir ; que le sentiment qu'on tire du bienfait *accordé*, n'est que moral, et ne peut dès lors

convenir qu'à une certaine sorte de gens, au lieu que la sensation ressentie du bienfait *reçu*, est physique et convient nécessairement à tous les individus » (Sade, *Œuvres*, I, *op. cit.*, p. 576). Un peu plus loin, Thérèse exprime au contraire la satisfaction du « bienfait accordé »...

33. Dans ses *Réflexions sur l'existence de l'âme et sur l'existence de Dieu*, Dumarsais faisait de « l'amour-propre » un ressort des bonnes actions, parce qu'il donne « une honte secrète à manquer » (*Nouvelles Libertés de penser*, *op. cit.*, p. 99). Mais on peut, pour l'ensemble de ce développement, songer à l'*Essai sur l'homme* de Pope (1733), dont le retentissement sur la pensée des Lumières est considérable et, en le reliant à la thèse de l'utilité sociale de l'amour de soi que développe le comte et, déjà, l'abbé (voir p. 216, note 32), à la *Fable des abeilles* de Mandeville. Voir aussi *infra*, note 40.

34. C'est la première fois qu'il en est aussi directement question : le comte « étend » les leçons de l'abbé en en tirant des conséquences explicitement matérialistes.

35. *Le manuélisme* : la masturbation.

36. On reconnaît dans cette liste des classiques libertins des XVIIᵉ et XVIIIᵉ siècles : voir notre Présentation, p. 42 et 65. *Frétillon*, que nous n'y avons pas évoqué, est un titre abrégé : il s'agit de l'*Histoire de la vie et des mœurs de Mlle Cronel, dite Frétillon* (1739), de Gaillard de La Bataille.

37. Outre son lien à des illustrations érotiques bien connues, la référence mythologique est un *topos* au service de la célébration de la puissance phallique. On lit dans l'*Histoire du prince Apprius* de Godard de Beauchamps cet élément du portrait de son anagrammatique héros : « La nature qui aime l'ordre, qui cherche la proportion dans toutes ses productions, en avait fait son chef-d'œuvre, il était tel qu'on nous dépeint le dieu Mars » (*Romanciers libertins du XVIIIᵉ siècle*, I, *op. cit.*, p. 9).

38. Cet idéal d'immobilité renvoie à une certaine tradition épicurienne. Fontenelle avait pu définir le bonheur comme « un *état*, une situation telle qu'on en désirât la durée sans changement » (cité par Robert Mauzi, *L'Idée du bonheur dans la littérature et la pensée française au XVIIIᵉ siècle*, Genève-Paris, Slatkine Reprints, 1979, p. 222).

39. *Ragoût* : « mets apprêté pour irriter le goût, pour exciter l'appétit. [...]. Il se dit figurément de ce qui excite, qui irrite le désir » (*Dictionnaire de l'Académie française*, I, *op. cit.*, p. 479-480).

40. Dans l'articulation de la « raison » et de « l'amour-propre » au service d'un ordre général harmonieux, voire, ici, de la

possibilité d'un équilibre général produit par des bonnes comme des mauvaises actions (le « Médecin » ou le « Financier » sont ici définis comme des exploiteurs), on retrouve l'inspiration de la *Fable des abeilles* de Mandeville.

41. *Infractaire* : le mot – néologisme forgé sur « infraction », dont on trouve plusieurs occurrences dans le texte – ne se trouve pas dans les dictionnaires du temps. Il plaira à Sade, qui le met dans la bouche du Dolmancé de *La Philosophie dans le boudoir* (*Œuvres*, III, *op. cit.*, p. 58) : « je suis un coupable, un infractaire, je le sais ». Le contexte d'usage, bien différent, illustre ce qui sépare Sade de *Thérèse philosophe* dans l'audace libertine : Dolmancé évoque ici un écart dans la pratique du « sodomite par principe » qu'il est (*ibid.*, p. 6). Au contraire, le terme désignerait volontiers, dans notre roman, celui qui est *coupable* de sodomie. Le « crime », chez Sade, consiste plutôt à n'être pas assez criminel.

CHRONOLOGIE

Nous n'avons pas tranché la question de l'attribution du texte à Boyer d'Argens, considérant, au regard des débats entre spécialistes, qu'elle est toujours en suspens. C'est pourquoi il nous a semblé préférable de ne pas le mentionner comme auteur sur la page de couverture. La chronologie, toutefois, tient compte de l'importance du faisceau de présomptions qui milite en faveur de cette attribution ; elle inscrit la biographie et les œuvres de Boyer d'Argens dans un ensemble contextuel lui-même sélectif, qui met en évidence les éléments de la vie politique et culturelle de la première moitié du XVIIIe siècle susceptibles d'éclairer certaines allusions du roman, ses orientations idéologiques et ses grandes caractéristiques formelles.

CHRONOLOGIE	LES LETTRES ET LES ARTS	CONTEXTE POLITIQUE ET SOCIAL
1696	John Toland, *Christianity not Mysterious*.	
1697	Pierre Bayle, *Dictionnaire historique et critique*.	
1699	Fénelon, *Les Aventures de Télémaque*.	
1701	*Mémoires de Trévoux*, organe de presse des jésuites.	Début de la guerre de Succession d'Espagne.
1702	Les jésuites publient les *Lettres édifiantes et curieuses*.	
1703	Naissance à Aix de Jean-Baptiste Boyer, fils aîné de Pierre Jean Boyer, qui deviendra marquis d'Argens en 1722.	
1706	Mort de Pierre Bayle.	
1709		Destruction de Port-Royal.
1712	Naissance de Rousseau.	
1713	Robert Challe, *Les Illustres Françaises*. Naissance de Diderot.	Traité d'Utrecht. Bulle *Unigenitus*, qui relance la querelle du jansénisme. Ordonnance contre la débauche publique.

1715	Lesage, *Histoire de Gil Blas de Santillane* (I-IV). Naissance d'Helvétius.	Mort de Louis XIV. Début de la Régence : Philippe d'Orléans tente de se concilier les jansénistes et suit une politique de sévérité à l'égard des jésuites. Cette stratégie sera un échec.
1717	Watteau, *L'Embarquement pour Cythère*.	
1718	Débuts de Voltaire avec *Œdipe*. Boyer, attiré par la vie militaire, sert au régiment de Toulouse contre l'avis de sa famille, qui veut qu'il embrasse une carrière juridique, jusqu'en 1722.	
1719	Abbé Barrin, *Vénus dans le cloître ou la Religieuse en chemise*.	Banqueroute et fuite de Law.
1720	Montesquieu, *Lettres persanes*.	
1721	Daniel Defoe, *Heurs et malheurs de la fameuse Moll Flanders*.	Ministère de Dubois.
1722	Naissance de d'Holbach.	Mort du Régent et majorité de Louis XV. Promulgation du Code de la Librairie.
1723	Boyer d'Argens devient avocat. Il se fait remarquer par ses plaidoiries.	
1725		

	LES LETTRES ET LES ARTS	CONTEXTE POLITIQUE ET SOCIAL
1726		Début du ministère Fleury et d'une politique nettement répressive à l'égard des jansénistes.
1728	Prévost, *Mémoires d'un homme de qualité* (jusqu'en 1731). Création des *Nouvelles ecclésiastiques*, organe de presse des jansénistes, très actif instrument de propagande contre la bulle *Unigenitus*.	Début de la fronde parlementaire contre l'autorité royale (elle durera jusqu'en 1732).
1730	Boyer séjourne à Paris, puis à Rome. Marivaux, *Le Jeu de l'amour et du hasard*. Crébillon, *Le Sylphe*.	La bulle *Unigenitus* devient loi de l'Église et de l'État. Jusqu'en 1732 : scènes d'hystérie collective au cimetière Saint-Médard, qui sera finalement fermé.
1731	Prévost, *Manon Lescaut*, *Le Philosophe anglais* (I-IV). Marivaux, *La Vie de Marianne* (I).	Jugement à Aix de l'affaire Cadière/Girard.
1732	Hogarth, *La Carrière de la prostituée*. Voltaire, *Zaïre*. Jusqu'en 1734, Boyer sert dans l'armée royale.	
1733	Naissance de Rétif de la Bretonne.	Début de la guerre de Succession de Pologne.
1734	Voltaire, *Lettres philosophiques*. Marivaux, *Le Paysan parvenu*, *Le Cabinet du philosophe*.	

C H R O N O L O G I E

1735	Prévost, *Le Doyen de Killerine*. Boyer part pour la Hollande et s'établit à La Haye, où il rencontrera probablement Voltaire en 1737. Il publie ses *Mémoires*.	Le parlement de Paris désavoue publiquement les convulsionnaires.
1736	Crébillon, *Les Égarements du cœur et de l'esprit*. Boyer d'Argens, *Lettres juives*.	
1737	Boyer d'Argens, *La Philosophie du bon sens*.	Ordonnance royale contre les « prétendus convulsionnaires ».
1738	Voltaire, *Discours en vers sur l'homme*, *Éléments de la philosophie de Newton*.	Paix de Vienne.
1739	Boyer d'Argens, *Lettres chinoises*. Il cède son droit d'aînesse à son cadet.	
1740	Gervaise de La Touche, *Histoire de dom Bougre, portier des Chartreux*. Prévost, *Histoire d'une Grecque moderne*. Richardson, *Paméla*. Boucher, *Le Triomphe de Vénus*. Naissance de Sade. Boyer d'Argens est au service de la duchesse de Wurtemberg jusqu'en 1742, date à laquelle il entre au service de Frédéric II (jusqu'en 1769 ; il mourra près de Toulon en 1771).	Avènement de Marie-Thérèse d'Autriche et de Frédéric II de Prusse, qui envahit la Silésie.
1741	Duclos, *Les Confessions du comte de ***. Naissance de Laclos.	Jusqu'en 1748 : guerre de Succession d'Autriche.

C H R O N O L O G I	LES LETTRES ET LES ARTS	CONTEXTE POLITIQUE ET SOCIAL
1742	Crébillon, *Le Sopha*. Fin de la publication de *La Vie de Marianne*. Fielding, *Joseph Andrews*.	Les jésuites de Chine sont désavoués par le pape (querelle dite des « rites »).
1743	Meusnier de Querlon, *La Tourière des Carmélites*. Recueil anonyme des *Nouvelles Libertés de penser*.	Mort de Fleury.
1744	Marivaux, *La Dispute*.	
1745	La Mettrie, *Histoire naturelle de l'âme*. Maupertuis, *La Vénus physique*. Godard d'Aucour, *Thémidore ou Mon histoire*.	Mme de Pompadour favorite.
1746	Voltaire entre à l'Académie française. Diderot, *Pensées philosophiques*. Condillac, *Essai sur l'origine des connaissances humaines*. La Morlière, *Angola*.	
1747	Diderot et d'Alembert directeurs de la future *Encyclopédie*. Voltaire, *Zadig*. La Mettrie, *L'Homme-machine*. Mme de Graffigny, *Lettres d'une Péruvienne*.	Création du Bureau de la discipline des mœurs (police des filles et femmes galantes).

1748	Montesquieu, *De l'esprit des lois*. Diderot, *Les Bijoux indiscrets*. Saisie et probable destruction par la police de la première édition de *Margot la ravaudeuse* de Fougeret de Montbron. Cleland, *Mémoires d'une fille de joie*. Godard de Beauchamps, *Hipparchia*.	Traité d'Aix-la-Chapelle.
1749	Diderot emprisonné à Vincennes pour la *Lettre sur les aveugles*. Buffon, *Histoire naturelle*.	
1750	*Prospectus* de l'*Encyclopédie*. Rousseau, *Discours sur les sciences et les arts*.	Malesherbes devient directeur de la Librairie.

BIBLIOGRAPHIE

LES ÉDITIONS DE *THÉRÈSE PHILOSOPHE*

Principales éditions contemporaines

Thérèse philosophe ou Mémoires pour servir à l'histoire du père Dirrag et de mademoiselle Éradice, texte établi, présenté et annoté par François Moureau, Saint-Étienne, Publications de l'université de Saint-Étienne, « Lire le dix-huitième siècle », 2000.

Thérèse philosophe ou Mémoires pour servir à l'histoire du P. Dirrag, et de Mlle Éradice, texte établi et présenté par Pierre Saint-Amand, dans *Romanciers libertins du XVIIIe siècle*, I, éd. Patrick Wald Lasowski, Gallimard, « Bibliothèque de la Pléiade », 2000.

Thérèse philosophe ou Mémoires pour servir à l'histoire du P. Dirrag et de Mlle Éradice, La Musardine, « Lectures amoureuses de Jean-Jacques Pauvert », 1998.

Thérèse philosophe ou Mémoires pour servir à l'histoire du père Dirrag et de mademoiselle Éradice, dans *Romans libertins du XVIIIe siècle*, éd. Raymond Trousson, Laffont, « Bouquins », 1993.

Thérèse philosophe ou Mémoires pour servir à l'histoire du P. Dirrag et de Mlle Éradice, lecture de Guillaume Pigeard de Gurbert, Arles, Actes sud, « Babel », 1992.

Thérèse philosophe, préface de Philippe Roger, dans *Œuvres anonymes du XVIIIe siècle*, III, Fayard, « L'Enfer de la Bibliothèque nationale », 1986.

Thérèse philosophe, introduction de Jacques Duprilot, Genève, Slatkine Reprints, 1980.

Thérèse philosophe, préface de Pascal Pia, J.-C. Lattès, « Les Classiques interdits », 1979.

Éditions du XVIIIᵉ siècle consultées

Thérèse philosophe ou Mémoires pour servir à l'histoire du père Dirrag [Girard] et de mademoiselle Éradice [Cadière], La Haye, s.d., 2 vol. in-12. BNF, Tolbiac, ENFER-402.

Thérèse philosophe ou Mémoires pour servir à l'histoire de D. Dirrag [sic] et de mademoiselle Éradice, par le Marquis d'Argens, La Haye, s.d., 1 vol. in-12. BNF, Tolbiac, ENFER-403. C'est l'exemplaire de référence pour la présente édition.

Thérèse philosophe ou Mémoires pour servir à l'histoire de D. Dirrag [sic] et de mademoiselle Éradice, par le marquis d'Argens, nouvelle édition, Londres, 1785, 2 vol. in-16 [Cazin], ENFER-406 et 407. Contient le jeu d'illustrations reproduit dans la présente édition.

OUVRAGES GÉNÉRAUX

ABRAMOVICI, Jean-Christophe, *Obscénité et classicisme*, PUF, 2003.

BENITEZ, Miguel, *La Face cachée des Lumières*, Universitas, 1996.

DARNTON, Robert, *Édition et sédition. L'univers de la littérature clandestine au XVIIIᵉ siècle*, Gallimard, 1991.

DELON, Michel, *Le Savoir-vivre libertin*, Hachette, 2000.

Éros philosophe. Discours libertins des Lumières, Fr. Moureau et A.-M. Rieu (éds.), Honoré Champion, 1984.

GOULEMOT, Jean-Marie, Ces *livres qu'on ne lit que d'une main. Lecture et lecteurs de livres pornographiques au XVIIIᵉ siècle*, Alinea, 1991.

NEGRONI, Barbara DE, *Lectures interdites : le travail des censeurs au XVIIIᵉ siècle : 1723-1774*, Albin Michel, 1995.

REICHLER, Claude, *L'Âge libertin*, Éditions de Minuit, 1987.

WEIL, Françoise, *L'Interdiction du roman et la librairie, 1728-1750*, Aux Amateurs de livres, 1986.

ARTICLES ET CONTRIBUTIONS SPÉCIFIQUES

BENREKASSA, Georges, « Libertinage and Figurations of Desire : the Legend of a Century », dans *Libertinage and Modernity*, C. Cusset (éd.), *Yale French Studies*, 94, 1998.

BLOCH, Olivier, « La technique du collage dans la tradition libertine et clandestine », *La Lettre clandestine*, 9, 2000.

CHAMMAS, Jacqueline, « Le clergé et l'inceste spirituel dans trois romans du XVIIIe siècle : *Histoire de dom Bougre, portier des Chartreux*, *Thérèse philosophe* et *Margot la ravaudeuse* », *Eighteenth Century Fiction*, 15 (3-4), 2003.

CUSSET, Catherine, « L'exemple et le raisonnement : désir et raison dans *Thérèse philosophe* », *Nottingham French Studies*, 37 (1), 1998.

–, « 1748 : Thérèse, ou la raison », dans *Les Romanciers du plaisir*, Honoré Champion, 1998.

–, « L'apprentissage voyeuriste : l'écran du désir dans *Thérèse philosophe* », dans *L'Écran de la représentation*, S. Lojkine (éd.), L'Harmattan, 2001.

DELON, Michel, « Le prétexte anatomique », *Dix-Huitième Siècle*, 12, 1980.

–, « De *Thérèse philosophe* à *La Philosophie dans le boudoir*, la place de la philosophie », *Romanistische Zeitschrift für Litteraturgeschichte*, 1-2, 1983.

DOMENECH, Jacques, « L'image du père Girard dans l'œuvre du marquis d'Argens : du fait divers – l'affaire jugée à Aix-en-Provence – à l'élaboration d'un personnage présadien », dans *Treize Études sur Aix et la Provence au XVIIIe siècle*, Aix-en-Provence, université de Provence, 1995.

DUBOST, Jean-Pierre, « Libertinage and Rationality : from the "Will to Knowledge" to Libertine Textuality », dans *Libertinage and Modernity*, C. Cusset (éd.), *Yale French Studies*, 94, 1998.

DUCHÊNE, Roger, « *Thérèse philosophe* : d'une impression sous surveillance à l'échec de d'Arles de Montigny, stratège de l'ombre », dans *Der Marquis d'Argens*, H.-U. Seifert et J.-L. Seban (éds.), Wiesbaden, Harrassowitz, 2004.

FISCHER, Caroline, « *Thérèse philosophe* : comment expliquer son succès ? », dans *Der Marquis d'Argens*, H.-U. Seifert et J.-L. Seban (éds.), Wiesbaden, Harrassowitz, 2004.

–, « L'Arétin en France », *Dix-Huitième Siècle*, 28, 1996.

GRANDEROUTE, Robert, « Le roman d'éducation philosophique », dans *Le Roman pédagogique de Fénelon à Rousseau*, II, Genève, Slatkine Reprints, 1985.

HARTMANN, Pierre, « Nature, exemple, éducation : les
paradigmes du récit libertin », dans *Du genre libertin au
XVIIIᵉ siècle*, J.-F. Perrin et Ph. Stewart (éds.), Desjonquères, 2004.

MCKENNA, Antony, « Le marquis d'Argens et les manuscrits clandestins », dans *Le Marquis d'Argens*, Actes du
colloque du C.A.E.R. (Aix-en-Provence, octobre 1988),
Aix-en-Provence et Marseille, université de Provence,
1990.

MAINIL, Jean, « Jamais fille chaste n'a lu de romans : lecture
en cachette, lecture en abyme dans *Thérèse philosophe* »,
dans *L'Épreuve du lecteur, livres et lectures dans le roman
d'Ancien régime*, J. Herman (éd.), Louvain, Peeters, 1995.

MITERAN, Nicolas, « La fureur poétique des abbés ou les
illusions dangereuses : les discours édifiants dans *Thérèse
philosophe* », dans *Roman et religion en France (1713–1866)*,
J. Wagner (éd.), Honoré Champion, 2002.

MORTIER, Roland, « Les voies obliques de la propagande
"philosophique" », dans *Le Cœur et la raison : recueil
d'études sur le XVIIIᵉ siècle*, préface de R. Pomeau, Oxford,
Voltaire Foundation ; Bruxelles, Éditions de l'université
de Bruxelles ; Universitas, 1990.

PIGEARD DE GURBERT, Guillaume, « Où l'on reparle de
l'attribution de *Thérèse philosophe* au marquis d'Argens »,
La Lettre clandestine, 9, 2000.

RICHARDOT, Anne, « *Thérèse philosophe* : les charmes de
l'impénétrable », *Eighteenth Century Literature*, 21 (2),
1997.

ROGER, Philippe, « Au bonheur des dames sensées », préface à *Thérèse philosophe*, dans *Œuvres anonymes du
XVIIIᵉ siècle*, III, 5, Fayard, « L'Enfer de la Bibliothèque
nationale », 1986.

TABLE DES ILLUSTRATIONS

TABLE

Thérèse philosophe
ou Mémoires pour servir à l'histoire
du Père Dirrag et de Mademoiselle Éradice

Achevé d'imprimer en France
par Dupli-Print à Domont (95)
en janvier 2016

N° d'édition : L.01EHPNFG1254.C002
Dépôt légal : décembre 2006
N° d'impression : 2015121749

Imprimé en France